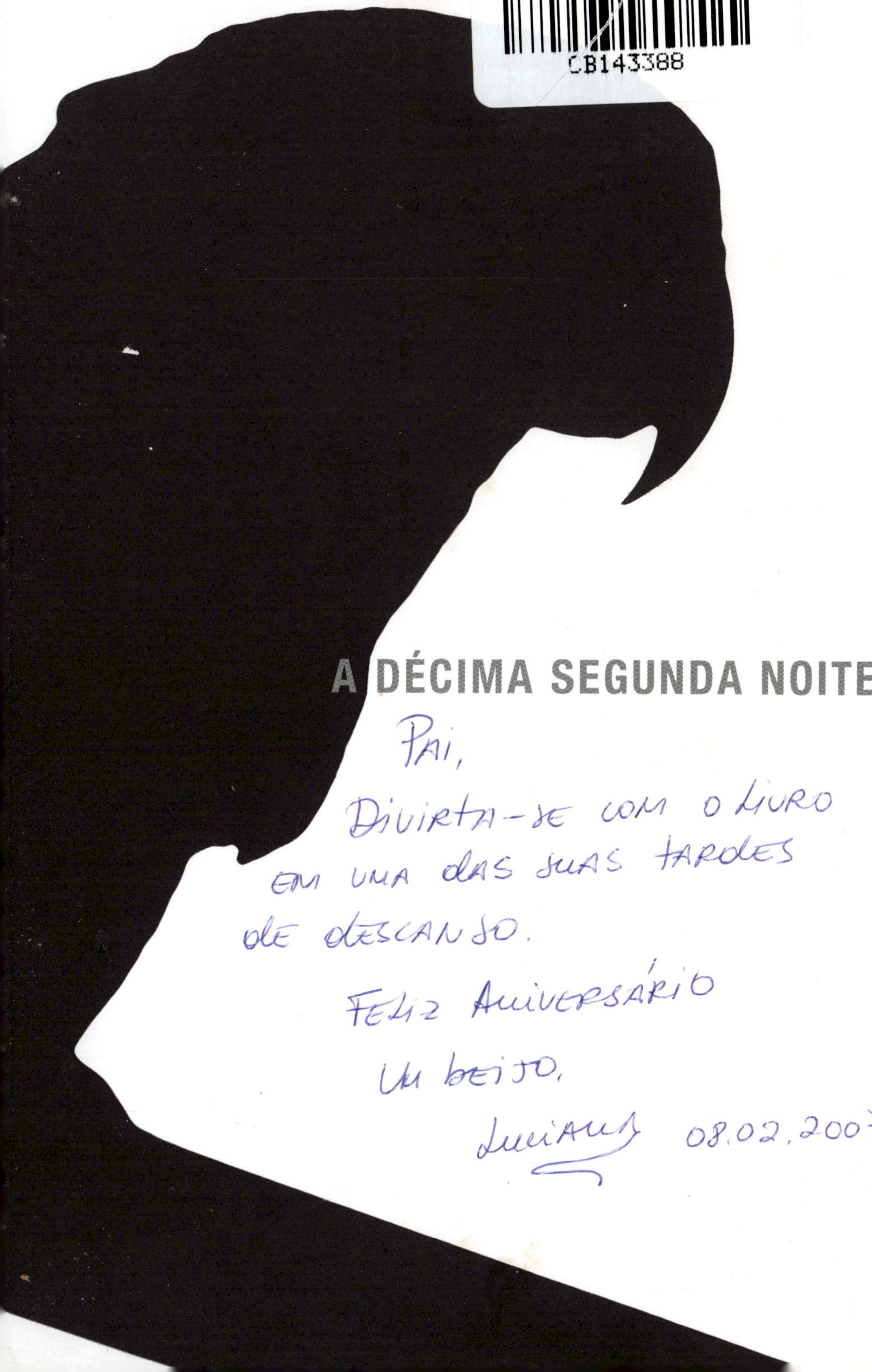

A DÉCIMA SEGUNDA NOITE

Pai,

Divirta-se com o livro em uma das suas tardes de descanso.

Feliz Aniversário

Um beijo,

Luciana 08.02.2007

OBJETIVA

LUIS FERNANDO VERISSIMO

A DÉCIMA SEGUNDA NOITE

COLEÇÃO DEVORANDO SHAKESPEARE

Fascinado por Paris, Verissimo escolheu a cidade como cenário deste livro. A foto foi tirada pela mulher do escritor, Lúcia, no verão de 2006.

"... it is silly sooth
And dallies with the innocense of love
Like the old age."

"... é uma verdade simples
E brinca com a inocência do amor
Como nos velhos tempos."

William Shakespeare

1

Mon Dieu, mon Dieu, um gravador. Deus dos papagaios, me acuda. Já ouvi minha voz gravada. Quase silenciei para sempre. É o som do caldeirão rachado com o qual pretendemos comover as estrelas e só conseguimos fazer dançar os ursos, como escreveu Flaubert sobre a linguagem. Tente dizer qualquer coisa séria, ou profunda, com voz de papagaio. Mesmo em francês. Impossible. Foi por isso que não me deram atenção, e a comédia que vou contar quase virou tragédia. Eu avisei, me esganicei, mas me ouviram? Diziam "Le perroquet, qu'est-ce qu'il dit?". E riam. Eu avisando que não era comédia, era drama, era tragédia. Tinha paixão, traição, perfídia, sociologia. E riam, riam. Culpa da voz, minha sina. Com voz de papagaio, nada é importante, nada é trágico. Dizem que Shakespeare lia suas comédias com voz de papagaio para seus atores, que nunca entendiam o que ele escrevia. Só assim eles sabiam que não era tragédia. Não havia gravadores no tempo de Shakespeare. Quantos não devem sua fama póstuma ao fato de não haver um gravador por perto? O mundo talvez fosse outro se descobrissem que Péricles tinha a voz fina, Napoleão a língua presa e... Mas vamos à entrevista. Sei o que vocês querem ouvir. É sobre a santa que era santo, nespá? Sobre o passado. Pelo menos estão interessados no que eu tenho para contar. Só o que ouço aqui é "Le perroquet, qu'est-ce qu'il dit?" e "Tais-toi, Henri!". Fazem pouco das digressões de um caldeirão rachado. Esse é outro terror do gravador: ele não permite digressões. E o que é um papagaio sem digressões? Essa fita girando, girando, como a vida se aproximando do fim, nos obrigando a ser sucintos e breves. É contra a natureza dos papagaios serem sucintos e breves. Durante séculos, milênios, gerações e gerações, vivemos com a capacidade de falar sem saber que a tínhamos. Imaginem. Uma espécie inteira que se autodesconhecia. Imitávamos uns aos outros, imitávamos os outros bichos e os sons da floresta, mas só quando ouvimos um humano falar, pela primeira vez, descobrimos este nosso talento para articular palavras. E descobrimos o que nos faltara durante gerações e gerações de loquacidade desperdiçada e sons desconexos: assunto. Até hoje, em florestas desabitadas, papagaios selvagens voam em bandos cacofônicos sem conhecer a delícia de fazer uma frase completa, os prazeres da prosódia. É em nome deles que eu falo tanto assim. E para recuperar o tempo perdido, o nosso tempo sem assunto. Eu estaria traindo a minha ascendência se fosse sucinto e breve. Eu... Está bem, a história que vocês querem ouvir. Vamos a ela. Está gravando? Isso é um gravador ou uma caixa de pílulas? Ridicule. Mas vamos lá. Antes, alguns dados autobiográficos. Un peu de moi même. Como cheguei ao salão Illyria. Não é digressão, é background. Como aconteceu de eu estar aqui, pintado de verde e amarelo, como parte da decoração de um salão de beleza em Paris, para ver e ouvir tudo e viver para contar o que vi e ouvi. Dois pontos. Sou descendente de um daqueles papagaios que vieram com os índios tupinambás do Brasil para a recepção a Henri II em Rouen, no norte da França, em 1550. Quando armaram uma falsa maloca, com cinqüenta tupinambás emplumados e cinqüenta franceses pintados de índio, para mostrar ao rei como era a vida na recém-descoberta Terra dos Papagaios. Nosso papel na encenação era sermos coloridos e exóticos e providenciarmos o som ambiente tropical, mas meu antepassado direto, que já tinha o meu espírito crítico, escapou da maloca, voou sobre a multidão e cagou na cabeça de Montaigne, inspirando-o a escrever seu ensaio sobre o primitivo, depois pousou no ombro do rei, que o achou "charmant" e o levou para o aviário da sua favorita Diane de Poitiers, no castelo de Chenonceaux. Tudo isto é especulação minha, mas sinto que há vestígios de nobreza no meu legado, resquícios claros de uma "vie en château" e por que não teria sido entre os pavões entediados de Chenonceaux, no aviário da favorita do último dos Valois, o desafortunado Henri II em fim de reinado, acossado por dívidas e pela sífilis? Não deve ser por acaso que meu nome é Henri, talvez um nome herdado por todos da minha linhagem, junto com um acurado senso da nossa própria finitude, desde o encontro do primeiro Henri com o rei condenado, que sais-je? Sei que nos 450 anos que nos separam da festa em Rouen nossa plumagem foi perdendo a cor. Eu nasci em Paris, e a minha cor cinzenta é a do seu céu de inverno. Cinzenta, sim. Este verde e amarelo é tinta. Idéia da Negra. Quando o Orsino comprou o salão e disse que queria um ambiente brasileiro a Negra se encarregou da decoração e me voilà, verde e amarelo num poleiro de plástico, com fundo musical de Antônio Carlos e Jocaffi, "Você abusou" o dia inteiro, mas essa é outra digressão. Meu primeiro dono, que eu me lembre, foi um historiador francês da escola dos Annales. Um intelectual, com gola rulê, barba por fazer, asa, tudo. Aprendi muito com o Jean-Paul. História francesa, como fazer uma omelette baveuse, como economizar papel higiênico usando *L'Humanité* e filosofia em geral. Ele trazia mulheres para o apartamento, não para treparem, para conversarem. Conversa, conversa, conversa e eu ali, pequenininho mas ouvindo tudo, gravando e aprendendo tudo. Pensei que o que faziam era uma forma requintada de sexo oralizado até me dar conta de que "annales" não tinha nada a ver com sodomia e... Hein? A história, certo. Vamos à história. Depois do Jean-Paul, meu dono foi, deixa ver... o Jean-Paul. Outro Jean-Paul. Este era escritor, ou tentava ser. Morava sozinho e passava o tempo todo falando comigo, aos gritos, despejando em cima de mim as teorias que tinham lhe custado três esposas e todos os amigos, e eu só "oui, oui", e "bien sûr". Eu iria contestá-lo, para também ser atirado pela janela? Foi ele que me falou das diferentes formas de narrativa e da intervenção do narrador na narrativa. Qualquer um, qualquer coisa, pode ser o narrador. Este é o poder absoluto do autor, o de escolher seu disfarce: Deus ou um adorno na parede, um descarnado olho cósmico acompanhando a vida dos seus personagens ou um bibelô, uma planta ou um bicho. Jean-Paul dizia, ou gritava, que Flaubert sabotava sua própria teoria sobre a necessária impessoalidade do autor porque o autor dos seus livros sempre se entregava: fosse qual fosse o seu disfarce, escrevia como Flaubert. Todas as suas máscaras tinham a mesma voz. A pior forma de presença do autor é a ausência conspícua, dizia Jean-Paul Deux. Que um dia confessou que me comprara por causa da minha prolixidade, embora ele quase não me deixasse falar. Não queria um conviva, queria um ouvinte. Eu não o ajudei, obviamente, e fui passado adiante. Só posso agradecer por não ter sido defenestrado num dos ataques de frustração de JP2. Depois de Jean-Paul II, o Ramão. O começo da minha fase brasileira. E a primeira vez que ouvi falar na Negra. O Ramão era exilado político e a Negra tinha lhe conseguido o apartamento onde morava. Pobre do Ramão. Só falava no Brasil. Se queixava do frio, da França, da vida, e me contava o que deixara em Pernambuco. Aprendi o português com as lamúrias do Ramão, daí este meu sotaque franco-nordestino e esta nostalgia por uma terra que eu não conheço, esta saudade do nunca visto. A Negra tinha chegado do Brasil anos antes. Foi uma pioneira. Começou como travesti no Bois de Boulogne, se fingindo de homem, porque francês gosta muito disso.

Ganhou dinheiro, abriu um restaurante brasileiro, perdeu todo o dinheiro, formou um conjunto de música e dança chamado "Candombleu" e nessa época estava abrindo uma "Clinique Astrologique" em que botava cartas, jogava búzios, fazia mapa astral e dava banho de descarrego, porque francês gosta muito disso também. Mantinha uma agência imobiliária clandestina e era uma espécie de fada madrinha da colônia brasileira em Paris. Não havia nada que a Negra não conseguisse. As pessoas diziam "Vamos falar com a Negra" quando surgia um problema, e havia o boato de que ela tinha encontros amorosos regulares com um alto funcionário do governo francês, aos quais ia vestida de homem e de mulher em dias alternados, e arranjava cartes de séjour na França para quem quisesse. Uma vez perguntaram à Negra qual era o seu sexo verdadeiro e ela respondeu "Sabe que eu não me lembro mais?". Conheci a Negra em pessoa quando o Ramão voltou para o Brasil anistiado e me vendeu a uma ex-bailarina do "Candombleu" chamada Xana que casara com um francês depressivo que um dia tentou me matar só porque eu citei Kierkegaard e John Lennon na mesma frase, e ele não agüentava a idéia de um papagaio erudito, ou não agüentava mais os amigos brasileiros da Xana, mas, como não podia se meter com a Negra, que era o dobro do seu tamanho e o derrubaria com um rabo-de-arraia, avançou em mim, pobre de moi, com uma faca. Foi a Negra quem me salvou do francês depressivo e me levou para morar com a maluca da Tanira, que veio a Paris com uma bolsa para estudar ciência política na Sorbonne mas acabou com um negócio de empadinhas, financiado pela Negra, e que me recebeu aos gritos porque o cinza das minhas penas combinava com a cor do seu apartamento e... Eu sei, a história. Onde é que eu estava? Como eu vim parar no Illyria, um dos muitos salões do monsieur Orsino em Paris. Certo. Foi assim. O Orsino adora o Brasil. Quando comprou o salão de um grupo de gangsters iugoslavos, decidiu que queria um ambiente brasileiro, com palmeiras, chapelões de palha, redes e berimbaus nas paredes e um papagaio. O Orsino é um grande cara. Diziam que ele também era gangster, da máfia, mas eu não acreditava. Eu dizia que ele era italiano mas saíra cedo. O nome do salão, Illyria, continuou o mesmo, mas ele queria que todo o resto fosse brasileiro. Procurou a Negra para providenciar a decoração, pediu um papagaio e a Negra pensou logo neste que vos fala sem parar. Só tinha um problema: minha cor. O cinza, que combinara tão bem com a tristeza do Ramão e com o apartamento da Tanira, não combinaria com os berimbaus e com os pôsteres do Rio e da Bahia. Foi quando a Negra teve a idéia. Me pintaria — tará! — de verde e amarelo. Eu continuaria a morar com a Tanira, que estaria encarregada de retocar minha maquiagem, por assim dizer, sempre que fosse preciso, e passaria os dias no salão, implicando com os cabeleireiros o tempo inteiro, ouvindo os seus gritos de "Tais-toi, Henri!". Eu não me calava. Estava apenas cumprindo minha missão de papagaio, um competente e aplicado papagaio profissional brasileiro, e quando o Orsino visitava o salão eu cantava "Você abusou" junto com o Antônio Carlos e o Jocaffi e ensaiava uma ginga no poleiro para agradar le patron. Desperdiçada, além de desajeitada, porque ele jamais olhou para o meu lado. O que a gente não faz para sobreviver em Paris, nespá? Mas assez d'atmosphère, vamos ao que interessa a vocês. O Orsino era apaixonado pela Olívia, que freqüentava o salão e também era brasileira, mas não da nossa laia. Era rica, morava metade do tempo em Paris e metade do tempo em Ouro Preto. Tinha vindo para Paris morar com o irmão mais velho, que vocês, se são o que eu estou pensando, sabem muito bem quem é. O marchand de arte, ou contrabandista de santos barrocos e pedras preciosas, dependendo da versão. O da santa que era santo sobre a qual vocês querem saber tudo, mas já chego lá. Os dois moravam num apartamento de cobertura no Champs de Mars. Quer dizer, classe. Autre chose. Mais distante do círculo da Negra, impossível. Eram dois mundos que raramente se encontravam, embora a origem brasileira fosse a mesma e a Paris dos dois fosse a mesma, só variando de arrondissement. O irmão, que era bem mais velho do que ela, tinha morrido, e a Olívia estava de luto, o que só aumentava sua beleza. Mulher de luto, sem pintura, só vestindo preto para realçar sua palidez, é a mulher reduzida aos seus componentes básicos. Ossatura, olhos e mistério. As pessoas pensam que as viúvas se vestem de preto e rejeitam os adornos para sinalizar sua renúncia do mundo, mas é o contrário. Estão se reapresentando ao mundo em estado puro, virgens de novo, disponíveis de novo. O preto é o branco das debutantes adaptado às circunstâncias. Sei disso por ouvir falar, como tudo o que sei, porque minha experiência com fêmeas e sexo é limitada. Inclusive com fêmeas da minha própria espécie, os psitacídeos, que espanto com a minha garrulice e meu romantismo de segunda mão, quando só o que elas querem é procriar. A Negra, que consegue tudo, me consegue parceiras sexuais, mas elas não demoram em se aborrecer com meu pedantismo e certa vez uma arara de Madagascar, ou coisa parecida, ficou tão impaciente com a poesia em vez de ação que tentou me matar a bicadas. E esta tinta endurecida cobrindo minhas penas naturais também não tem ajudado minha vida sentimental. A Tanira sempre renova a pintura, mas raramente me dá banho, o que significa que já tenho camadas e camadas de verde e amarelo cobrindo minhas penas e envenenando meu organismo. Moi aussi, je ne serai plus. Não terei descendência. Serei o último dos Henris. Não haverá outro para observar e comentar, de um poleiro metafórico, o rico cortejo tragicômico da humanidade rumo ao... Como? Ah, certo. Onde eu estava? A Olívia. Ela não era, tecnicamente, uma viúva. Estava de luto pela morte do irmão. Mas que luto. Que elegância, que tristeza bem carregada, que tesão de abatimento! O Orsino era louco por ela e ela não lhe dava bola. E isso que ele não é de se jogar no lixo. De se jeter à la poubelle. Faz o gênero bandido fidalgo e é um romântico, como eu, além de rico como ela. Lembro do dia em que ele entrou no salão com a cabeça empinada e um meio sorriso triste no rosto, certamente pensando na Olívia e na sua rejeição, e em vez de Antônio Carlos e Jocaffi estava tocando uma música do Chico Buarque, e ele parou na porta, ficou ouvindo por instantes de olhos fechados e disse: "Se a música é o alimento do amor, toquem mais, e mais, para que o amor se empanturre e morra." Depois abriu os olhos, notou o efeito que sua frase tivera nos cabeleireiros, todos víboras com almas sensíveis agora transformados em estátuas boquiabertas, e ordenou que voltassem ao trabalho e que se abaixasse o volume da música. O Orsino só emprega rapazes nos seus salões. Diz que não é discriminação sexual porque seus rapazes representam todos os sexos conhecidos e alguns ainda em fase de experimentação. Foi naquele dia que eu me dei conta da intensidade do sentimento de Orsino por Olívia, ele que podia ter qualquer mulher em Paris com sua estampa de consigliere semi-respeitável, seus olhos cor de azeitona, seu séquito de amigos e subalternos — "sua Corte", como diziam nos seus salões, mas longe dos seus ouvidos — e seu dinheiro. Sua obsessão por Olívia o martirizava, tanto que naquele momento de fraqueza desejara que a paixão morresse empanturrada de música e o liberasse para outros sentimentos. Mas para Valentino, gerente do Illyria, debaixo do meu poleiro, num cochicho para os cabeleireiros não ouvirem, perguntou por Olívia com uma ânsia de adolescente. Ela não aparecera mais no salão? Não, respondeu Valentino. Anunciara que seu luto duraria um ano, durante o qual não cuidaria nem das unhas das mãos e dos pés nem dos cabelos. E Orsino suspirou, e comentou que, se ela guardava aquela devoção a um irmão morto, o que não dedicaria a quem um dia ocupasse o seu coração e o seu corpo, vivo? E foram olhar as contas do dia do salão, ele e Valentino, que era cabeleireiro antes de ser escolhido por Orsino para gerenciar o Illyria e por isso era odiado pelos outros. Agora, atenção. Aqui começa a história que vocês querem ouvir. Pois é, finalmente. Tem certeza que está gravando? Esses gravadores pequenos não são de confiança. Meu cérebro também é pequeno mas grava tudo. Fui abençoado, ou amaldiçoado, com memória total. E não preciso de pilhas, sou movido a bisbilhotice. Naquela mesma noite, ouvi da Tanira, enquanto ela retocava o meu verde no seu apartamento, que a Negra estava às voltas com o caso de um casal de gêmeos,

Violeta e Sebastião, que tinham sido separados ao chegar ao aeroporto Charles de Gaulle vindos do Brasil. Violeta passara pela alfândega mas Sebastião ficara para trás, despertara a suspeita dos guardas e simplesmente desaparecera. Violeta se desesperara. Não conhecia ninguém em Paris. Ela e o irmão vinham com planos de conseguir emprego e ficar clandestinamente na França. O pouco dinheiro que tinham estava com ele. E a única referência que traziam era a recomendação dada por alguém, antes da viagem, "Procurem a Negra", e um número de telefone. Violeta procurara a Negra, que fora buscá-la no aeroporto e estava no momento usando seus contatos no mundo oficial francês, inclusive entre antigos clientes dos tempos do Bois de Boulogne, para tentar localizar o Sebastião. Enquanto isto, Violeta ficaria com Tanira. E mais tarde, naquela noite, ela chegou, trazida pela Negra. Tinham jantado num bistrozinho ali perto, onde a Violeta chorara muito, enquanto a Negra tentava convencê-la de que tudo acabaria bem. Nunca vou esquecer a cena da Violeta entrando no apartamento da Tanira, e nas nossas vidas, naquela noite, atrás da Negra. Todos nós iríamos, como dizem os franceses, cair amorosos, tomber amoureaux, de uma forma ou de outra, por ela. Linda, apesar dos olhos e do nariz vermelhos de tanto chorar e da preocupação com o irmão. O próprio franzido da sua testa era apaixonante, e ela riu quando eu manifestei meu amor instantâneo e ofereci meu pé em casamento. Mais tarde ela quis saber mais a meu respeito e eu lhe dei a versão condensada da história da nossa linhagem, a história dos Henris, acrescentando algumas invenções para impressioná-la além das minhas hipotéticas lembranças atávicas de Chenonceaux, como um tataravô que teria coabitado com o marquês de Sade na Bastilha, um bisavô que fora o companheiro mais constante de Santos Dumont em Paris, a atuação heróica de um avô como mensageiro durante a ocupação nazista e algumas peripécias sexuais minhas nos bastidores do show do Lido em que eu aparecia num número de mágica e uma mulher seminua me transformava num espanador, até a Negra me mandar calar a boca porque a Violeta precisava dormir. Teríamos que encontrar um emprego para ela o quanto antes. Foi minha a idéia de colocá-la no Illyria, para ficar sob o meu olhar e partir meu coração todos os dias, mas a Tanira lembrou que o Orsino só contratava rapazes. Mas a Negra já tinha a solução, como sempre. Decretou que a Violeta seria um rapaz! Por que não? A Tanira cortaria seu cabelo, ela se vestiria de homem e... O quê? Está acabando a fita? Tem que parar pra trocar? Mon Dieu, mon Dieu. Eu sabia que era um gravador ridículo. Decididamente, não um veículo à altura das minhas digressões, pour mon esprit et ma verve. Ah, saber escrever, poder segurar uma pena e traçar uma história no papel como um arabesco ou um teorema, com forma, estrutura e, principalmente, permanência, sem depender de gravadores, de fitas e dos outros. É em momentos como este, e olhando o rosto de Violeta quando viajava sobre o seu ombro no metrô, imaginando como seria tê-la nos meus braços, que eu sinto não ser, nem digo um Flaubert, mas gente, só gente, em vez de um mero artifício narrativo. Agora só falta vocês me dizerem que não gravou nada e minhas palavras se perderam no ar, e minha voz lamentável esteja neste momento arranhando o domo de ozônio do planeta, tentando sair desta estufa de vaidades, rumo às estrelas. Mon Dieu, mon D

2

Posso continuar? Tá gravando? Bom. Só vou dizer uma coisa. A Violeta vestida de homem era tão encantadora quanto a Violeta vestida de mulher. A Negra, além de escolher sua roupa, já tinha escolhido o seu nome de homem. César. E quando a levou para apresentar ao Orsino, no salão, ele pegou a mão dela, dele, entre as suas, coisa que eu nunca tinha visto ele fazer com ninguém, e ficou por um longo tempo olhando nos seus olhos. Nem perguntou o que ela, ele, sabia fazer, o que foi ótimo, porque ele, ela, ainda estava treinando sua voz de homem, instruída pela Negra. Orsino interrompeu a descrição que a Negra fazia das suas credenciais, todas inventadas, e disse: "Chega, já simpatizei com o moço." Quando finalmente soltou a mão de Violeta/César, deu ordens ao Valentino para lhe arranjar uma função no salão. Qualquer função. Queria tê-la, lo, sempre por perto. Tratariam do salário depois. Ninguém notou a minha pequena dança celebratória no poleiro. Eu estava feliz. Teria o encantador César sob os meus olhos o dia inteiro no salão e conviveria com a encantadora Violeta à noite no apartamento da Tanira. Não é preciso dizer que os cabeleireiros, com ciúmes de Orsino, antipatizaram instantaneamente com o novo empregado. Mas com o tempo as víboras também aprenderiam a amá-lo, la. Cairiam amorosos como todos nós. A Violeta também tinha ficado muito impressionada com os olhos cor de azeitona do Orsino e naquela noite quis saber tudo a respeito dele. Contei o que ela precisava saber. Não, não era casado. Era um ótimo patrão, apesar de algumas explosões de temperamento do tipo italiano: só rugidos e gestos, mais coreografia do que outra coisa. Não contei que ele era apaixonado pela Olívia. Vi nos olhos de Violeta que o Orsino se instalara na sua imaginação e quase expulsara os maus pensamentos sobre o irmão desaparecido, do qual a Negra ainda não tinha notícia. Mas nos dias seguintes os rapazes do salão se encarregaram de contar a Violeta sobre o amor de Orsino por Olívia e coube a mim, respondendo às suas perguntas insistentes, contar a Violeta quem era a mulher que ela teria que desalojar do coração de Orsino, se quisesse ocupá-lo. Olívia não era tão bonita quanto ela, mas era muito bonita, e tinha uma vantagem: o luto. Orsino só precisava respeitar seu luto passageiro, mas, no caso de se apaixonar por Violeta, enfrentaria um obstáculo mais difícil, o fato de que se tratava de um homem. Uma condição igualmente provisória, mas isto ele não sabia. Olívia também suspirava por um irmão perdido, só que o dela estava certificadamente morto, com necrológio publicado no *Figaro*, enquanto o estado do gêmeo de Violeta era desconhecido, ele poderia muito bem estar preso, ou ter sido mandado de volta para o Brasil. Se seu nome um dia saísse num jornal, seria nas páginas policiais. E Olívia era rica como Orsino, enquanto Violeta era pobre, e estaria vivendo dos empréstimos da Negra e da solidariedade da Tanira até começar a receber seu salário no salão, que só serviria para lhe garantir a baguete de cada dia. Era um embate entre os dois mundos distintos em que viviam os brasileiros em Paris. O mundo da Olívia contra o nosso, ao qual se agregara a doce Violeta, ainda incerta sobre onde pisava e o que a esperava naquela terra fria sob um céu cinzento que em poucos dias já tragara o seu irmão e já a obrigara a mudar de sexo, antes mesmo de se ajustar ao fuso horário. Eu tentaria ajudá-la a conquistar o coração do Orsino, o troféu daquela luta de classes, na medida em que um detalhe da decoração pode interferir no destino das pessoas. Mas seria uma luta desigual... Se eu estava apaixonado pela Violeta? Bien sûr. Desde o momento em que a vi pela primeira vez, entrando no apartamento da Tanira levada pela Negra, com a expressão, entre maravilhada e apavorada, de um náufrago chegando a uma praia desconhecida. Mas que importa isso? Um detalhe apaixonado da decoração ainda é um detalhe da decoração. Se o berimbau se apaixonasse por Violeta significaria o mesmo, com a diferença de que lhe faltaria um coração para ser quebrado. Contei a Violeta que, desde a morte do irmão, Olívia morava sozinha numa enorme cobertura no Champs de Mars, com vista para a Tour Eiffel. Na verdade, sozinha não. Tinha a companhia de Maria, uma prima distante, mais velha, mandada pela família para ficar com ela depois da morte do irmão, e do mordomo, Malvolio. Um tio imensamente gordo, com o lamentável nome de Antenor Roto, que todos naturalmente chamavam de Arroto, e que desde 1947 gastava em Paris sua parte dos lucros de uma inesgotável jazida de não sei quê em Minas e que nunca voltara ao Brasil, que chamava desdenhosamente de "Aquilo Lá", morava perto e visitava-a com freqüência. O bobo da sua corte era um minúsculo ex-diplomata brasileiro chamado Fest, que ganhara o apelido de Festinha porque era pequeno e vivia propondo festinhas por qualquer pretexto. Este era o círculo íntimo da Olívia. O seu, em bom português, "entourage". O Festinha era um elo entre o mundo da Olívia e o mundo da Negra. O único. Freqüentava os dois mundos com a mesma animação e tanto podia ser visto contando as últimas do meio diplomático brasileiro a franceses incrédulos num dos salões da

Olívia, antes do luto, como tocando violão numa das festinhas em que a Tanira reunia amigos e novos conhecidos, que ela dividia entre "empadinhas" e "empadões", no seu apartamento, e em que ninguém comia ninguém, embora o Festinha tentasse comer todo mundo, fosse empadinha ou empadão. Entre os conhecidos, todos sabiam que o Festinha fora expulso do Itamaraty depois de um escândalo envolvendo um encanador ucraniano. Ficara em Paris, vivendo ninguém sabia bem de quê. Suspeitava-se que era pago por Olívia e seu irmão para diverti-los. Uma vez por ano ia ao Brasil visitar sua mãe e voltava cheio de doces e de remorso por deixar a mãe lá, cada vez mais velhinha, entre os selvagens, e então fazia uma festinha para comer os doces e se consolar. Foi na festa de Natal que ele organizou no apartamento da Tanira que... Arrête! Eu contei que tudo isto se passou entre o último Natal e a Noite de Reis, a Décima Segunda Noite, com um epílogo no Carnaval? Pois foi. Na noite de Natal o Festinha me contou que havia dois outros pretendentes ao coração da Olívia. Um era um nobre inglês que jogava bridge com o Arroto e que também tentava vencer a barreira de luto e discrição que Olívia erguera ao seu redor depois da morte do irmão. Lord Cheek, que o Festinha chamava de Lorde Bochecha, vivia implorando ao Arroto para levá-lo nas suas visitas quase diárias à sobrinha. Olívia proibira o tio de levar o inglês, que babava na sua mão quando a beijava, mas o Arroto nem sempre podia resistir aos apelos de Lord Cheek, ainda mais quando estava lhe devendo dinheiro do jogo. O Festinha dizia que o sucesso do Lorde Bochecha no bridge provava que a inteligência para jogar cartas ocupa algo como dois terços do cérebro humano, deixando pouco lugar para as outras formas de inteligência, e que no caso dele a ocupação era de 99 por cento, sobrando um por cento para coisas como distinguir entre o "Sobe" e o "Desce" no elevador. Olívia dera para não aparecer quando o inglês ia visitá-la, alegando enxaqueca, e a Maria e o Arroto, e o Festinha, quando estava lá, eram obrigados a fazer sala para Lorde Bochecha, que intercalava suspiros pela ausência de Olívia com longas dissertações sobre o bridge. A todas essas Malvolio, o mordomo, circulava pela sala, fazendo questão que notassem que não estava servindo o visitante, pois — e esta foi a outra revelação de Natal do Festinha — era ele o segundo apaixonado por Olívia. Sim, o mordomo confessara sua paixão secreta para o Festinha naquela tarde. Talvez fosse influência do período em que vivíamos, entre Natal e Reis. Nos tempos medievais, os 12 dias depois do Natal eram dias de loucuras. Até o dia 6 de janeiro, tudo virava pelo avesso, tudo ficava de pernas para o ar, começando pela hierarquia social. Eram escolhidos Reis da Confusão, muitas vezes entre os criados, e até a décima segunda noite depois do Natal eram eles que comandavam a folia, fazendo o que bem quisessem, inclusive com seus patrões. A tradição já acabara, mas talvez Malvolio, cuja idade era desconhecida e que tinha mesmo uma cara medieval, tivesse entrado numa brecha do tempo, levado por uma nostalgia pelo nunca visto como a minha pelo Brasil, e sua devoção a Olívia e seu irmão tivesse se concentrado naquele amour fou, naquela paixão de pernas para o ar que certamente não iria acabar no Dia de Reis. Ninguém sabia de onde o irmão de Olívia tirara o Malvolio. Seu sotaque e sua idade eram indefiníveis. E ele era um mordomo impecável, incapaz de um gesto impensado ou grosseiro — até se apaixonar por Olívia e Lord Cheek entrar na sua mira. Talvez se descobrisse, na sua origem misteriosa, algum tipo de tara por viúvas, e ele estivesse tendo uma recaída vendo Olívia de preto. Talvez amasse Olívia desde o momento em que a vira, quando o irmão a trouxera do Brasil, ainda adolescente. O fato é que, não sei se devido a meus presumíveis antecedentes nobres, ma vie en château, concordei com Festinha que o amor de um mordomo pela sua patroa é quase uma forma de incesto. Eu sei, eu sei, o amor não deve ter tabus e quem é um papagaio para ter preconceitos? Mas nestes assuntos sou um conservador, gosto das coisas nos seus lugares, cada uma no seu poleiro. Mudaria de opinião se um dia a Violeta pudesse ser minha, e eu pudesse deixar a classe dos narradores para ter um personagem da narrativa em meus braços, como um Shakespeare arrebatado pelas próprias palavras invadindo a própria trama e fugindo com uma personagem para uma das suas ilhas imaginárias. É uma danação dos narradores invisíveis e, no meu caso, improváveis, esta obrigação de manter o recato e a distância, quando o que ele quer é mergulhar na... Sim, sim, já continuo. Malvolio não sabia do amor do Orsino pela Olívia. O Lorde Bochecha não sabia nem da existência do Illyria, quanto mais do Orsino e da sua obsessão. E a Olívia nem desconfiava que seu próprio mordomo, o bom e inescrutável Malvolio, a olhava com olhos mais, ou menos, que paternos. A Tanira e o Festinha tinham convidado todos os empregados do salão para a festa de Natal no apartamento dela, que é só uma sala e um quarto mas no qual ela e o Festinha já conseguiram botar sessenta pessoas. O Orsino não foi porque não podia privilegiar um dos seus salões, e o Valentino porque tinha medo de apanhar dos cabeleireiros se eles bebessem muito, mas todo o resto do Illyria estava lá, e eu cantei e fiz minha imitação do Chirac sendo felatado durante um discurso, até começarem a gritar "Tais-toi, Henri!". Violeta estava tristinha porque aquele era o primeiro Natal que passava longe do irmão e ficamos conversando no quarto da Tanira, para onde os cabeleireiros me exilaram. Violeta, deitada em cima do monte de casacos e mantas que cobriam a cama da Tanira, me dava pedacinhos da péssima imitação de rabanada trazida pela Negra e bicadas da sua caipirinha, e me confidenciou que estava, sim, apaixonada pelo Orsino, mesmo sabendo que era uma paixão sem futuro, um amor condenado à desilusão. Ela já sofria, sabendo que Orsino também gostava, não dela, mas do seu disfarce. Gostava do César como um filho, como um irmão. Violeta estava quase chorando. A caipirinha fazia efeito. Ela se refugiara no quarto porque ainda não se sentia à vontade vestida de homem, embora fosse difícil definir o sexo real de quase metade dos que estavam no apartamento. O que o Festinha chamava de "un embarras de genres". Naquele momento, eu daria tudo por um braço humano para passar sobre os ombros da doce Violeta. Minha asa não servia, e, mesmo, sua mobilidade estava prejudicada pela tinta seca que começava a pesar. Pouco antes eu ouvira as revelações do Festinha sobre o amor de Lord Cheek e Malvolio por Olívia. Festinha já tinha ido embora. Passaria na casa de Olívia, onde a véspera de Natal estava sendo observada com discrição, devido ao luto, antes de seguir para um dos seus festejos particulares, que ninguém imaginava como eram. Agora eu ouvia as confidências amorosas da Violeta. Esta também é uma tragicomédia de amores, como se vê. Amores simples, amores loucos, amores sem esperança, amores grotescos — isso sem falar no meu, que competia em todas as categorias. O amor borbulhava em nossos dois mundos, mesmo com a temperatura, se me lembro bem, de dois abaixo de zero! Mas eu sei que nada disto interessa a vocês. Já chego à santa que era santo e às pedras preciosas, estou só dando o contexto. Não, não estou procas... porcas... procrastinando, mal sei pronunciar a palavra. Não é culpa minha se esse gravador anão... Olha aí, a fita está acabando outra vez! Mais ça c'est

3

O Festinha me contou... Está ligado? O Festinha me contou o que aconteceu no apartamento da Olívia na véspera do Natal. A Olívia tinha ido para a cama cedo, porque sentia mais a falta do irmão em ocasiões como aquela. Tomara um copo de champanhe com Maria e o tio e recolhera-se ao seu quarto. Quando o Festinha chegou, a Maria e o Arroto já tinham desembrulhado seus presentes e estavam na quarta garrafa de champanhe. Embaixo da árvore de Natal sobravam apenas os presentes do Festinha, vinhos como sempre, e o envelope que Olívia dava para o Malvolio todos os anos, com um cheque dentro. Festinha telefonara ao Arroto naquela tarde e dissera que tinha uma grande novidade para contar. Ele e Maria que se preparassem. Ao chegar da festa no apartamento da Tanira, maldizendo o frio e o movimento natalino no metrô, Festinha perguntou onde estava o Malvolio. Olívia lhe dera uma folga. “Na certa foi procurar a sua tribo”, disse o Arroto, que nunca simpatizara com o mordomo. Não sabia qual era a tribo do Malvolio, mas apostava que seus rituais de Natal eram estranhíssimos, estranhos como ele. Mas qual era a novidade? E então Festinha contou o que Malvolio lhe confessara naquela tarde. Que estava apaixonado pela Olívia. Que estava pronto para assassinar seu rival, sir Cheek, ou no mínimo derramar café quente nas suas calças. Maria cairia da cadeira de tanto rir, se já não estivesse estendida no chão com uma garrafa de champanhe sobre o peito magro, mas Arroto ficou indignado. O acinte! A pretensão! Quem aquele empregado de raça desconhecida pensava que era? Arroto e Malvolio tinham freqüentes choques em questões de etiqueta e de serviço, desde a maneira correta de laminar trufas brancas até a forma correta de se dirigir à mulher de um embaixador quando havia dúvidas se era a legítima, e Malvolio sempre cedia, no fim, com a expressão de quem se rendia à prepotência, não à razão, do outro, o que deixava o outro maluco. Não eram poucas as vezes em que Malvolio reagia à interferência de Arroto no seu trabalho sacudindo a cabeça e sussurrando "Brésiliens!", dando a entender que saber escolher escargots e distinguir conhaques pelo terreno de origem não escondia a nacionalidade de ninguém nem o tornava menos selvagem, às vezes até agravava esta condição. Maria também não gostava do mordomo e já tinha tentado convencer Olívia a livrar-se dele. Olívia resistia. Malvolio fora contratado pelo seu irmão, estava com eles há anos e não tinha, que ela soubesse, família na França. O coração de Olívia era nobre. Já o mesmo não poderia ser dito da Maria, que, segundo Festinha, trazia no coração toda a misantropia acumulada, agravada pela privação sexual, de quatrocentos anos de pietismo mineiro. Era uma mulher de 50 anos com algo de ave de rapina no perfil, e aquilo em volta dos seus olhos não eram olheiras, dizia o Festinha, era maldade concentrada. E foi Maria quem teve a idéia, logo aprovada pelo Arroto. Forjariam uma mensagem de Olívia para Malvolio e colocariam dentro do envelope com o cheque de Natal. Uma mensagem críptica que sugerisse, sem dizer diretamente, que o amor do mordomo pela sua patroa era correspondido. Maria tinha estudado no mesmo colégio de freiras que a Olívia em Belo Horizonte, a letra das duas era parecida. Malvolio não desconfiaria da falsificação. E certamente enlouqueceria com a revelação de que seu amor por Olívia não era desesperado, que teria um futuro, talvez até uma consumação! Arroto e Maria puseram-se a compor a carta com entusiasmo, antegozando o vexame do mordomo. O Festinha diz que nada estimula a classe ociosa mais do que criar humilhações novas para seus inferiores. "Um exercício para mentes criminosas, pré-absolvidas pela frivolidade", diz. Festinha se declara um "doutor em frivolidades" e descreve seu gosto por festas e pela companhia de gente como o gordo Arroto e o vazio Lorde Bochecha como pesquisa de campo para uma planejada enciclopédia de coisas inúteis, o empreendimento com o qual pretende substituir o sexo, quando chegar a hora. A carta dizia que há tempos em que tudo vira de pernas para o ar, servos viram senhores e senhores viram servos, e que uma certa senhora sonhava que um certo servo fosse seu senhor por uma noite, e a bem-quisesse mesmo malquerendo, até que a décima segunda badalada da Décima Segunda Noite o expulsasse da sua cama e seus gemidos de amor voltassem a ser gemidos de dor. Malvolio, mesmo com sua inteligência limitada, não deixaria de entender a linguagem cifrada da carta quando a lesse na manhã seguinte, e a sua ruína pelo ridículo estava assegurada. Maria e Arroto tomaram mais champanhe para brindar seu feito literário e Arroto se lembrou de acrescentar um P.S. à carta sem assinatura. "Sua serva por uma noite não manda, pede: tinja os seus cabelos da cor da juba de um jovem leão." "De la couleur de la crinière d'un jeune lion." Malvolio já pintava os cabelos, mas de preto. Nem o Festinha, que sabe tudo da vida de todo mundo em Paris, sabia muita coisa a respeito dele. Acreditava que era um dos muitos mordomos abandonados pelos seus patrões na França na diáspora de milionários que se seguiu à eleição do Mitterrand em 1981, até se darem conta de que o Mitterrand não era tão socialista quanto temiam. Era uma arma em bom estado deixada na praia por um exército em retirada que o irmão de Olívia recolhera, e que o servira bem durante anos. Malvolio jamais falava do seu passado. Era certo que tinha dinheiro guardado, mas ninguém sabia aonde ele ia nas suas folgas, qual era a sua tribo entre as muitas tribos de Paris. Nem seu único confidente, o Festinha. Que mais de uma vez me disse que gostaria de saber o que Malvolio sabia mas não contava, sobre os negócios do irmão da Olívia, sobre os santos barrocos supostamente roubados de igrejas em Minas, sobre as pedras preciosas contrabandeadas, e sobre seu possível envolvimento no caso da santa que era santo. Festinha saiu do apartamento da Olívia antes da uma para não perder o último metrô e deixou Maria mais uma vez estirada no chão, agora dormindo, e Arroto dançando sozinho ao som de "Que reste-t-il" abraçado à sua própria barriga. Festinha foi ao encontro da sua tribo, que ninguém também podia imaginar como festejava o Natal. "Sou profundamente religioso", dizia Festinha, "o que me impede de acreditar em Deus". Já era Natal em Paris, já tinha começado o período em que tudo estaria de pernas para o ar nos nossos respectivos mundos, até que a décima segunda badalada da décima segunda noite encerrasse aquelas férias do juízo. Não vi mais o Festinha na semana depois do Natal e só na festa de Ano-Novo no apartamento da Negra fui saber mais sobre os efeitos da carta apócrifa. Maria e Arroto haviam convidado o Festinha para assistir ao grande momento na manhã do dia seguinte, a abertura do envelope deixado sob a árvore de Natal, e tinham se decepcionado porque o mordomo simplesmente colocara o envelope no bolso enquanto recolhia os copos e as garrafas da noite anterior. Mas minutos depois ouviram, vindo da cozinha, uma espécie de ganido, seguido de vários "rorós", depois silêncio. Quando Malvolio reapareceu na sala só restava um pequeno sorriso da sua manifestação ruidosa na cozinha. Ele quis falar a sós com o Festinha. Mostrou-lhe a carta e pediu que ele a interpretasse. Não era um claro convite da Olívia para que ele, Malvolio, compartilhasse da sua cama na Noite de Reis, duas semanas depois do Natal? A carta estava num envelope dirigido a ele, junto com o presente de Natal da Olívia. Ele era o servo e ela a senhora, na casa. “Bem-querer mesmo malquerendo” era uma óbvia referência ao nome dele em italiano, “mal-volio”. Não estava claro? Não era maravilhoso? Olívia também sonhava com ele, e aquilo era mais do que ele jamais sonhara. Mas precisava ter certeza. Não podia passar pelo vexame de um mal-entendido. O que Festinha achava? Festinha costuma dizer que tem um coração de ouro mas não anda sempre com ele, assim como não anda sempre com seu Rolex de ouro. Depende da vizinhança. Neste caso, achou que a cruel frivolidade dos seus pares tinha ido longe demais. Apiedou-se. Aconselhou Malvolio a ter cautela, não falar nada a respeito com Olívia, esperar para ver qual seria a atitude dela. Afinal, a noite em que os gemidos da dor do luto deveriam ser substituídos pelos gemidos de prazer do amor seria a de 6 de janeiro. Até lá, Malvolio teria tempo para se certificar de que a carta era da Olívia, e para valer. Precisava ter cuidado, não se precipitar. O mordomo concordou, mas estreitou a carta contra o peito e fez mais alguns "rororós". Maria e Arroto, que assistiam à cena escondidos, taparam a boca para não rir. A destruição de Malvolio não tardaria. Enquanto isso... Na noite do Ano-Novo, na casa da Negra, ainda não se sabia nada sobre o paradeiro do irmão gêmeo da Violeta, o Sebastião. Os contatos da Negra nos ministérios não tinham informação alguma para lhe dar. A polícia alfandegária também jurava que não tinha nada a ver com o desaparecimento. Sebastião havia sido interrogado no aeroporto. Esperara o chamado para o interrogatório numa saleta com outro brasileiro, mais velho, um certo Antônio, figura conhecida da polícia francesa que voltava a Paris depois de longa ausência e seria meticulosamente revistado. Antônio acalmara Sebastião, instruindo-o sobre como se comportar diante dos policiais. E Sebastião e Antônio tinham saído juntos do aeroporto. Para onde, ninguém sabia. O Festinha disse: "Antônio, Antônio... Acho que eu conheço. Talvez até no sentido bíblico. Se for quem eu estou pensando..." E as reticências ficaram flutuando no ar, deixando dúvidas sobre o caráter do Antônio e o destino de Sebastião, para grande aflição da Violeta, que começou a chorar e foi imediatamente cercada por todos que estavam na festa com manifestações de carinho, pois a esta altura todos, até as víboras, a adoravam, e acabou no colo da Negra sendo consolada e chamada de "mon xuxu". A Violeta estava aos poucos se integrando na rotina do Illyria, apesar da angústia com a falta do irmão. Eu ia com ela, ou ele, todas as manhãs para o trabalho e não sei o que chamava mais atenção no metrô, aquele papagaio verde e amarelo de ar aristocrático no ombro do moço ou a beleza incomum do moço com o papagaio no ombro. Eu precisava me controlar para não aproveitar a proximidade da sua orelha perfeita, daquele pequeno mimo barroco a milímetros do meu bico, e murmurar coisas, declarar meu amor em versos improvisados ou recorrer ao meu estoque de poetas decorados sob pretexto de estar ajudando-a com o francês. Duas coisas me continham: papagaio não sussurra, fala sempre no mesmo tom, como vocês já notaram, e os passageiros do metrô talvez não estivessem preparados para a cena insólita. Violeta me contava tudo a seu respeito. Sim, ela e Sebastião eram gêmeos idênticos, apesar de sexos diferentes. Ele nascera primeiro, e durante toda a vida a protegera. A idéia de virem para a França fora dele. O pai deles, que não conheciam, era francês, abandonara a mãe brasileira grávida no Rio e nunca mais dera ou pedira notícia. A mãe estava morta. Não sabiam como encontrar o pai. Não sabiam se ele estava na França ou mesmo se ainda estava vivo. Só tinham um nome: Frédéric. E uma informação: era um ex-jogador de rúgbi e tocava gaitinha-de-boca. A possibilidade de encontrá-lo entre todos os ex-jogadores de rúgbi da França chamados Frédérics que tocavam gaitinha-de-boca era nenhuma. Só aconteceria por um acaso improvável, por uma coincidência shakespeariana. Quando chegávamos ao salão, eu ia para o meu poleiro, ser decoração, e a Violeta, ou o César, apresentava-se ao Valentino, que o colocara como recepcionista do salão, a mando do Orsino. Este aparecia no Illyria com muito mais freqüência depois da contratação do César, pois era óbvio que gostava do rapaz e muitas vezes pedia sua opinião sobre assuntos do salão, para grande despeito do Valentino e, portanto, grande alegria dos cabeleireiros. E no meio daquela primeira semana do ano, dias antes da Noite de Reis, César recebeu no Illyria um homem estranho, de idade indefinida e porte altivo, que eu reconheci logo, e que pediu para pintarem seu cabelo da cor da juba de um jovem leão. "La couleur de la crinière d'un jeune li..." O quê? Vai acabar a fita outra vez? Mas ce n'est pas sérieux! Por que não compram um gravador mais

4

E aí o rabino diz para a freira, "Viens, ma poule, et...". Ah, já está gravando? Onde nós estávamos? O cabelo cor da juba de um jovem leão, certo. Dias depois, andávamos pelo Champs de Mars e Violeta exclamou: "Olha aquele homem de novo!". Era o Malvolio caminhando dois passos atrás da Olívia e da Maria, com sua étonnante juba amarela. Contei para Violeta que aquela de preto era a Olívia, sua rival, e que o homem era o mordomo dela. Provavelmente estavam indo às compras. "Mas ela é linda!" disse Violeta referindo-se a Olívia. "Você falou que eu era mais bonita do que ela, mas..." "Você é", interrompi com firmeza, e todas do grupo concordaram ruidosamente. Não seria por falta de torcida que Violeta perderia guerra pelo coração de Orsino. E a torcida só aumentava. A procura pelas empadinhas da Tanira era tão grande entre os brasileiros de Paris que ela precisou contratar três ajudantes, que chamava de "minhas flores". Rosa, Margarida e Hortência logo se apaixonaram por César/Violeta também. Todos os domingos Tanira dizia "vamos botar o canteiro na rua", e saíamos a passear com nossas quatro flores, para Violeta conhecer Paris e não ficar enfurnada em casa pensando no irmão desaparecido, no pai desconhecido ou no seu amor impossível por Orsino. E lá íamos nós, Violeta travestida de César para o caso de passar por algum conhecido do salão, eu, Tanira e suas três flores brasileiras. Violeta se queixava muito do frio e os passeios sempre terminavam com as quatro flores tomando chocolate quente, enquanto Tanira me deixava dar bicadas no seu conhaque. Eu dizia para Violeta esperar a primavera, quando Paris ficaria verde e florida e, aí sim, seria uma moldura à altura para sua beleza. Mas a maior atração do grupo era eu mesmo. No Champs de Mars ou no Jardim de Luxembourg as crianças se aproximavam de nós e faziam perguntas a meu respeito ou se dirigiam a mim e não gostavam quando eu respondia a seus pedidos para dizer alguma coisa, "dis quelque chose, le perroquet!", com longos trechos de Baudelaire. Rosa, Margarida e Hortência vieram para Paris por diferentes razões. A Rosa porque achava que precisava de um ano em Paris depois da formatura antes de começar a trabalhar com o pai, que era um importante político em Brasília, notoriamente corrupto, porque todo o mundo precisava de pelo menos um ano em Paris antes de se encaminhar na vida, e nunca mais voltara ao Brasil. Contava que seu pai tinha um hábito estranho. Vinha anualmente a Paris, mas sempre no inverno. Hospedava-se no Hotel Plaza Athénée e pedia para aumentarem ao máximo o aquecimento no seu quarto, do qual raramente saía. O resultado é que pai e filha quase não se viam. Ele porque não saía do Plaza Athénée e ela porque se recusava a freqüentar aquele templo do nouveau-richismo brasileiro, apesar da nossa sugestão de que fosse ao menos roubar alguns talheres para a Tanira. Margarida viera a Paris como babá do filho de um diplomata e também nunca mais voltara. Hortência queria fazer teatro e fizera de tudo menos teatro e também nunca mais voltara. As três não eram feias; "Comíveis", dizia o Festinha, "mas não por mim". Tinham várias outras atividades além de ajudar Tanira com as empadinhas, mas a maluca da Tanira era quem inspirava a maior lealdade entre as três, elas eram as suas flores. Nenhuma chamava o Brasil de "Aquilo lá", como o Arroto. Tinham saudade de casa e procuravam se informar sobre o que acontecia no Brasil, as novas músicas e as novas gírias, e não perdiam espetáculo de brasileiro em Paris. Choravam juntas quando comiam a goiabada que a mãe da Hortência mandava sempre que havia um portador. Eram elas que organizavam o carnaval brasileiro de Paris todos os anos, o Carnaval das Flores, que já era uma tradição na colônia. Mas não voltavam para o Brasil, não conseguiam largar Paris nem no inverno. O Festinha tem uma teoria segundo a qual Paris se transformara na capital cultural do Ocidente, Cidade Luz, aquela história, com todas as suas galerias e teatros e cafés, para distrair a atenção dos seus habitantes nos meses cinzentos e evitar que no inverno toda a população se suicidasse, com previsível impacto na economia nacional. O encanto e a cultura de Paris eram estratagemas contra o inverno mortal, Paris se virava para dentro de si mesma e hibernava. Festinha dizia que se tornava sexualmente neutro no frio, como uma ostra. E a primavera sempre chegava como uma festa triunfal, como se todos dissessem: "Sobrevivemos a mais um inverno, a vida continua!" Contei para a Violeta como eu tinha acompanhado todas as fases da imigração brasileira, voluntária ou não, provisória ou não, em Paris desde o meu tempo com Ramão, o pernambucano lamuriento, quando grande parte da colônia era de exilados políticos e nas reuniões na casa da Negra se discutia muito quem, dos recém-chegados, poderia ser um espião da ditadura e... Eu sei, vocês já sabem tudo isso. Mas quem mandou me darem atenção? Nunca, na história da nossa espécie, um papagaio foi ouvido com tanto interesse como neste momento. Sou como aqueles papagaios de pirata que guardam as coordenadas do tesouro que os outros esquecem, meu cérebro vale uma fortuna, desde que permaneça no seu lugar.

E que me ouçam. Mas as coordenadas do mapa valioso vêm com digressões, as coordenadas contêm literatura. Agüentem. Acompanhei as transformações do Brasil pelo movimento dos brasileiros que chegavam aqui. Alguma coisa mudou entre a época em que os brasileiros vinham a Paris para estudar e fazer arte e agora, quando vêm fazer cursos de culinária. Não sei se o país se civilizou ou ficou mais bobo. Me lembro do tempo em que os grandes assuntos entre os brasileiros em Paris era a localização da privada, quem tinha privada no apartamento e quem tinha privada no corredor, os mistérios do encanamento e da doida arquitetura dos banheiros franceses, e como tomar banho com os chuveiros de mão em forma de telefone antigo que ninguém sabia como segurar enquanto se ensaboava, um problema que um papagaio não pode nem imaginar. O Festinha diz que o chuveiro de mão obriga ao banho solidário, a dois, e que tem usado este argumento com freqüência. Poucos tinham o luxo de morar em prédio com elevador. A Xana alugava apartamento num sexto andar sem elevador, para o qual levara o seu francês depressivo. Depois se especulava se o francês era depressivo mesmo ou apenas cansado de tanto subir escada atrás da Xana, que tinha pernas fortes, de bailarina. Os elevadores de Paris se dividiam em dois tipos, como diz a Tanira, minúsculos ou inexistentes. No edifício em que morava o Festinha o elevador era tão pequeno que, segundo ele, mais de um caso de amor tinha nascido entre visitantes seus obrigados a se espremerem no espaço apertado, e ele, inclusive, fora padrinho do resultado de... Está bem. De volta à história. Malvolio apareceu em casa com o cabelo da cor da juba de um jovem leão e a Olívia, claro, levou um susto. Reuniu-se com Maria e Arroto para discutir o insólito comportamento do mordomo, que ela já vinha notando há dias e que culminara com aquilo, com o cabelo daquela cor, que seria estranho num homem moço e era um escândalo num homem da sua idade. Ele estaria enlouquecendo? Ainda por cima, demonstrara surpresa com a reação dela ao ver seu cabelo com a nova cor, só faltando perguntar "Não gostou?".

Olívia achava que não tinha direito de se intrometer na vida pessoal de Malvolio, mas aquilo era demais. Ela costumava levar o mordomo junto quando saía para fazer compras com Maria e teriam que andar pela vizinhança com aquela figura grotesca atrás delas. E ainda por cima ele começara a olhá-la de um modo diferente, que ela não conseguia definir. Como se os dois compartilhassem um segredo. Não era uma maneira aceitável de um mordomo olhar para uma patroa. Não havia dúvidas, ele estava enlouquecendo. Maria e Arroto expressaram a mesma opinião. Falaram ao mesmo tempo: estava na hora de despedir ou de internar Malvolio. Mas Olívia resistiu. Preferiu que os dois descobrissem com ele qual era o seu problema, qual era o motivo da sua mudança de comportamento e o que levava um homem da sua idade e da sua posição a pintar os cabelos daquela cor. Festinha, por intermédio de quem fiquei sabendo desta conversa, comentou comigo que não entendia a relutância da Olívia em dispensar o mordomo. O bom coração não explicava tudo. Seu palpite era que Malvolio sabia demais sobre os negócios do irmão da Olívia, principalmente sobre o caso da santa que era santo. Naquele mesmo dia, para piorar o mau humor de Olívia, Arroto anunciou que o inglês Cheek viria visitá-la e implorou para que ela não inventasse uma enxaqueca e desaparecesse. Arroto lhe devia dinheiro, o mínimo que Olívia poderia fazer pelo seu pobre tio era agüentar 15 minutos de conversa do inglês, e não puxar a mão quando ele tentasse beijá-la. Olívia concordou, com a condição de que convidassem o Festinha para ajudá-la a enfrentar sir Cheek. Festinha está acostumado a ser convocado para animar festas, garantir boas conversas ou simplesmente fazer número e se descreve como um acessório social, usado para suprir vácuos, "algo como um vibrador que conta piadas". Tudo parte da pesquisa para a sua enciclopédia de futilidades. Geralmente pergunta se deve levar o violão ou o grupo é alfabetizado, e se é para ser só brilhante ou pode insultar quem quiser. Olívia gosta de tê-lo por perto, mesmo sabendo que ele é o responsável por tudo que sabem ou dizem dela, em Paris. Sempre que o recebe pergunta

"Qual é a sua última fofoca a meu respeito?" e o Festinha conta o que andaria espalhando sobre ela, às vezes improvisando na hora. Quando Malvolio abriu a porta do apartamento para ele, Festinha não resistiu e fez uma pantomima de choque ao ver o cabelo cor de juba de leão jovem, levando a mão ao peito, dizendo que precisava se sentar imediatamente e pedindo água, água. Depois ele e Malvolio conferenciaram aos cochichos e Malvolio lhe confidenciou que Olívia dava todos os sinais de estar, mesmo, apaixonada por ele, apesar de ter simulado surpresa com a nova cor do seu cabelo, que ela mesma pedira. Os olhares dela para ele eram de quem compartilhava o segredo daquele amor louco, daquele amor que teria seu ápice carnal antes da décima segunda badalada da décima segunda noite depois do Natal, dali a poucos dias. Malvolio estava pronto para declarar a Olívia que aceitava, sim, o seu convite para mandarem as convenções ao diabo e se amarem. Até antes da Noite de Reis, se ela quisesse. Mas Festinha o convenceu a esperar. "Calma", disse. "Isto é um grande passo para ela e para você. Ela precisa de tempo e você também. Continuem agindo normalmente, como mordomo e patroa, e não toquem no assunto. Principalmente, nenhuma palavra sobre ápice carnal." E Festinha perguntou se Lorde Bochecha já estava lá. Estava. Tinha chegado antes da hora marcada, trazendo flores para Olívia, o patife. Malvolio recomendou a Festinha que não ficasse perto do inglês, pois coisas desagradáveis poderiam acontecer com ele, no transcorrer da visita. Festinha agradeceu e foi para a sala, onde Lord Cheek discorria sobre o bridge, Arroto se esforçava para não dormir, Olívia ainda esfregava a mão babada pelo inglês no lado da perna, mal disfarçando a cara de nojo, e Maria fingia que prestava atenção. Festinha mudou de assunto em seguida, depois de declarar que o bridge era uma forma de enobrecer a sacanagem com o próximo e, portanto, um jogo profundamente imoral, que acrescentava a hipocrisia ao engodo, e, antes que o inglês pudesse se recuperar, lançou-se num discurso sobre jogos de carta em geral, concluindo que o único jogo socialmente respeitável era o pôquer, porque nenhum jogador de pôquer tinha a pretensão de ser menos calhorda do que os outros. E enquanto Lord Cheek ficou dizendo "Well, well...", pensando numa resposta, Festinha dirigiu sua atenção a Olívia, que queria saber as novidades da embaixada. Festinha contou que suas fontes dentro da embaixada brasileira tinham se tornado subitamente reticentes desde que ele espalhara por toda a colônia certos hábitos de certo secretário, mas que estava tentando restabelecer a confiança e por isso não contaria nenhuma fofoca, salvo a de que o grande assunto do momento na colônia era o desaparecimento de dois brasileiros chegados do Brasil no aeroporto Charles de Gaulle, pelo qual o serviço consular brasileiro só se interessara e pedira informações às autoridades francesas depois de insistentes pedidos, acompanhados de veladas ameaças de chantagem, da Negra. Olívia mal conhecia a Negra, só a vira algumas vezes em eventos sociais e ficara impressionada com o seu tamanho e o seu porte de princesa africana. Agora se impressionava com o seu poder. Ela podia mesmo chantagear um serviço consular? Festinha não deu detalhes, só disse misteriosamente que a Negra rodava por muitos círculos, muitos círculos, e conhecia muita gente nestes círculos. E quem eram os brasileiros desaparecidos? Festinha ia responder que não sabia bem quem eram, que só sabia que um era conhecido da polícia francesa e que a irmã gêmea do outro passara pela alfândega e ele não, quando foi interrompido por uma altercação cujo epicentro era a frente das calças do Lorde Bochecha, atingida pela água fervendo de um bule mal direcionado a uma xícara de chá carregada numa bandeja por Malvolio. O inglês saltou da cadeira com um grito e continuou saltando pela sala e gritando, inclusive para escapar de Malvolio, que o perseguia com a aparente intenção de ajudá-lo, mas sem largar o bule de água fervendo. O pequenino Festinha se sacudia de tanto rir quando nos relatou a cena, naquela noite, no apartamento da Tanira. E o relato, que incluía conjeturas sobre o estado em que ficara o membro, que Festinha chamava de "the right honourable member", da casa dos Lordes depois do banho quente, só foi suplantado pela revelação da Violeta, ou do César, de que naquela tarde o Orsino lhe pedira para fazer uma visita, em seu nome, a Olívia. O Orsino pedira a Violeta para visitar Olívia! O quê? Já acabou a merda da

5

Orsino decidira que a encantadora Violeta, ou o encantador César, seria um embaixador perfeito junto ao coração de Olívia. Quem poderia resistir àqueles olhos puros, àquele frescor de juventude portando uma mensagem de amor? E uma mensagem sincera, de um amor intenso e verdadeiro, embora não tão jovem quanto o seu portador. Orsino passara a freqüentar o Illyria quase que diariamente depois da chegada de César, que transformara em seu confidente. Não foram poucas as vezes em que, do meu poleiro, ouvi Orsino falar a César do seu amor por Olívia, e o que César ouvia como um amigo conivente, às vezes até exagerando as risadas másculas com que reagia às evocações que Orsino fazia dos encantos da amada, a doce Violeta, escondida sob o disfarce de César, ouvia com amargor, desejando que a amada fosse ela. E eu, pairando sobre os dois como o autor eterizado de

Flaubert sobre o texto, ouvia como um enjeitado, invejando aquelas imprudentes paixões humanas proibidas a narradores e papagaios. Nada me impedia de pular no meio dos dois para revelar que César era Violeta, com o grito "Vamos acabar com essa farsa!", mas aí não teríamos esta história, e as suas lições para amantes e farsantes. Talvez Orsino visse César como uma versão mais moça, uma reedição, de si mesmo, e acreditasse que a difícil Olívia receberia seu recado apaixonado com outros ouvidos e outros olhos se levado por aquele simpático conterrâneo dela. Como fariam a aproximação? Através do Festinha, decidiu Orsino. Ele não gostava do ex-diplomata, que costumava chamá-lo de "Duce" e saudá-lo com o braço erguido e já espalhara vários boatos a seu respeito pela cidade, mas reconhecia que "le petit Fest" era o homem indicado para a tarefa. Festinha topou porque gostava de conspirações e porque lhe convinha ser credor de um empresário rico como Orsino, já que suas finanças, como ele mesmo dizia, eram pequenos pássaros órfãos, esperando, de bico aberto, quem as nutrisse. Combinaram a operação. Festinha levaria César com ele numa visita ao apartamento de Olívia, com o pretexto de que se tratava de um milionário paulista interessado em arte barroca que ouvira muito falar da coleção de santos do seu falecido irmão. Festinha preveniu que, no seu luto rigoroso, Olívia talvez nem aparecesse para conhecer o visitante. Mas, se ela aparecesse, César e Festinha deveriam encaminhar a conversa para possíveis amigos comuns dos três, no Brasil ou em Paris, e introduzir o nome de Orsino na conversa. Quando Olívia declarasse que costumava freqüentar o Illyria e conhecia Orsino, César diria "Então é você a Olívia de quem o Orsino fala tanto!". E passaria à inconfidência, contando a Olívia tudo que Orsino dizia sobre ela, sua beleza, sua classe, sua perfeição... Chegaram a ensaiar o que César diria, com Festinha, no papel de Olívia, aproveitando a oportunidade para fazer uma paródia exagerada de grande dama, até o Orsino lhe pedir para parar porque aquele era um assunto sério, era o assunto mais sério da vida dele. A torcida da Violeta/César tinha se dividido. Quem não sabia que César era Violeta, como os cabeleireiros do Illyria, festejava, achando que a missão que Orsino confiara ao jovem lhe dava quase um status de herdeiro, e de substituto natural do odiado Valentino na gerência do salão. Os que sabiam que César era Violeta — a Negra, Tanira e suas três flores e um certo papagaio apaixonado — se preocupavam com o que Violeta sofreria, obrigada a levar uma declaração de amor do homem que amava a outra mulher, dizendo à outra o que sonhava ouvir. Ficamos todos em nervosa expectativa, aguardando o relato que Festinha traria da visita. E Festinha não se apressou em diminuir nossa angústia. Enquanto César fazia seu relatório particular da conversa com Olívia a Orsino, Festinha estendeu-se num relato vagaroso e minucioso da missão à galera, saboreando a nossa impaciência, eu pulando de um pé para o outro como se o poleiro estivesse em brasa. Malvolio abrira a porta, com sua juba extravagante. Ninguém se dera conta daquele furo no plano: Malvolio poderia se lembrar que César o recebera no Illyria, quando ele fora pintar o cabelo, e que o recepcionista de um salão de beleza não poderia ser um milionário paulista. Mas Malvolio apenas fizera uma cara de estranhamento, e cochichara para Festinha que tinha a vaga impressão de já conhecer aquele moço, mas não se lembrara de onde e fora anunciar a chegada deles a Olívia. Desgraçadamente, Maria, Arroto e Lorde Bochecha estavam na sala, e fora uma dificuldade conseguir falar com Olívia sem que os outros ouvissem. Só quando Lorde Bochecha começara sua habitual dissertação sobre o bridge, atraíram Olívia para um canto e então a conversa se desenrolara conforme o previsto. César fora magnífico, falando de santos barrocos como um expert e depois derivando habilmente para marchands de artes sacras que ambos poderiam conhecer e possíveis amigos em comum, até brotar o nome de Orsino e Olívia declarar que o conhecia, sim, e freqüentava seu salão antes do luto. Neste momento, segundo Festinha, César se superara como ator. Não me diga que é você, exclamara. Eu o quê, perguntara Olívia. A Olívia que o Orsino ama. A Olívia cuja beleza, classe e perfeição ele não pára de elogiar. A Olívia que ocupa seu pensamento dia e noite. César falava com tamanho entusiasmo que alguém poderia deduzir que era ele que se declarava, ele o apaixonado. Olívia ficara desconcertada e, diante da inconformidade do moço com aquela paixão não correspondida, dissera que sabia, claro, do interesse de Orsino por ela, mas não podia amá-lo, eram de mundos diferentes e, mesmo, estava de luto. César insistira. Seu amigo Orsino e ela formariam um par incomparável. E Orsino era um homem mais sofisticado do que ela pensava. Não era apenas um milionário, dono de uma cadeia de salões de beleza. Ela sabia que ele também colecionava santos barrocos? E gostava de ópera? Finalmente, César convencera Olívia a concordar com um encontro, só para se conhecerem melhor. Data a definir. Ele, César, cuidaria de tudo. Orsino ficou eufórico com o relato da visita. César conseguira a aproximação com Olívia que seus olhares mornos e deferências não haviam conseguido. Não seria difícil simular um conhecimento de arte barroca, como fizera o César de improviso, para impressioná-la. Em pouco tempo ele a conquistaria. Confiava no seu charme mediterrâneo. Faria com que ela esquecesse o irmão morto e voltasse a viver. Orsino beijou César nas duas faces. Naquela noite, em casa, depois de se despir dos trajes de César, Violeta estava arrasada. Não adiantou tentar consolá-la. Nem minha imitação da Edith Piaf dando uma receita de gigot d'agneau como uma canção de amor foutu funcionou. Além de aproximar o homem que amava do seu amor e assim sabotar suas esperanças de um dia ser a amada, recebera da Negra a notícia de que seu irmão Sebastião e o Antônio estavam sendo procurados em toda a França. Tinham simplesmente desaparecido depois de liberados pela polícia no aeroporto. Antônio, aparentemente, já cumprira pena na França, mas as autoridades garantiam que não tinham nada a ver com o seu desaparecimento e o do outro brasileiro. Violeta foi dormir chorando, embalada pela Martine. Ah, esqueci. Por esses dias tinha aparecido um novo personagem na nossa história. A Negra, em pleno inverno, antecipando-se à temporada de verão, começara a oferecer depilação "à brésilienne" na sua "Clinique Astrologique". Encontrara uma senhora francesa com voz grossa chamada Martine que morara no Brasil e se especializara em eliminar os pêlos pubianos de quem queria usar biquínis. E Martine, apesar da alegria com que arrancava a cera depilatória com o grito de "saravá!", era uma doce pessoa. Tinha seus 60 anos e vivia sozinha, e começou a freqüentar o apartamento da Tanira, segundo ela, porque queria praticar o português. É claro que também se encantou com a Violeta, a quem passou a tratar como uma mãe. Orsino planejava seu encontro com Olívia. Onde deveria ser? Num restaurante? No seu apartamento? Outra vez, recorreu a Festinha, que aconselhou um jantar no apartamento, só os dois, velas, garçons discretos, fundo musical de Albinoni ou Paul Desmond. Pensei em me oferecer para dar um toque exótico à decoração durante o jantar e ao mesmo tempo garantir a onipresença flaubertiana a que todo narrador aspira, mas desisti. Orsino mal se dava conta da minha existência e certamente desprezaria minha oferta. Enquanto isto, o que os cabeleireiros esperavam se confirmou: César foi recompensado pelo sucesso da sua missão com o posto de gerente do Illyria, no lugar de Valentino, que saiu jurando vingança. O primeiro resultado da promoção do César foi que no dia seguinte, em vez de pegar o metrô para o trabalho, Violeta e eu pegamos um táxi. Não faríamos aquilo todos os dias, era só para comemorar. Mas nem a promoção nem esta pequena extravagância serviram para animar Violeta, que continuava desolada com seu amor cada vez mais sem esperança e preocupada com seu irmão gêmeo. A Negra prometera dar notícias assim que soubesse de alguma novidade da dupla desaparecida. No Illyria, César foi recebido com festa. O próprio Orsino, que nunca aparecia àquela hora da manhã, estava lá para lhe dar mais dois beijos. Voei para o meu poleiro e assumi meu posto. Antônio Carlos e Jocaffi explodiram nos nossos ouvidos. Comecei a cantar junto com eles com toda a força dos meus pequenos pulmões, sob protestos dos cabeleireiros. Em meio à algazarra olhei para Violeta, agora oprimida por dois disfarces, o de César e o de gerente, e vi que ela se esforçava para entrar no clima de celebração. Precisava ser convencida a, já que seu amor era impossível, entregar-se à felicidade possível. Coitadinha. Nunca a amei tanto como naquele momento. Se estivesse entre os meus poderes de narrador, eu faria entrar seu irmão pela porta e a reunião dos dois gêmeos completaria a festa, mas eu não podia, meu amor por ela, como o dela por Orsino, também era impotente. Eu era um anti-Flaubert, maldizendo minha ausência do texto, querendo entrar. Mas era uma peça decorativa, e ela uma mera coadjuvante na farsa. A vida acontecia perto dos nossos olhos, mas longe do nosso alcance. Da melancólica Violeta eu poderia dizer, com o bardo, que sabia tanto do amor escondido como do declamado, que ela "let concealment, like a worm in the bud, feed on her damask cheeks", deixou que seu segredo, como um verme num botão, corroesse suas faces de damasco, com perdão da pronúncia. Aprendi meu modesto inglês com o segundo Jean-Paul, que andava nu pelo apartamento lendo autores de várias línguas em voz alta antes de atirar o livro contra uma parede e gritar "Merde, por que eu não escrevi isto?!". Uma vez tive que me abaixar para não ser atingido por um Rilke. Outras vezes Jean-Paul II atirava o que estava lendo no chão e sapateava em cima. Vivia começando a escrever coisas, romances, peças, poemas, mas nunca passava da segunda folha. Não jogava as folhas fora, simplesmente. Corria ao banheiro, as lançava na privada e acionava a descarga, gritando: "Tudo já foi escrito! Tudo já foi escrito!" Tinha a volúpia da literatura mas não tinha o talento. É como diz o Festinha: só a asma não faz um Proust. A palavra livre da matéria, a linguagem livre do sentido, talvez fosse isso que JP2 esperasse de mim. Uma inspiração literária que dispensasse a experiência, uma educação sentimental artificial. Um papagaio, moi, como símbolo de glotologia pura, sem a interferência do mundo. Um exemplo de literatura auto-referente, desafiadoramente inverossímil, como as tramas improváveis passadas em terras fantásticas do Shakespeare. Ele me ouvia fascinado, antes de me interromper com outra teoria. Talvez me visse como prova de que a literatura pode existir sem o talento, o que o redimiria. Mas digressiono. I digress. Onde estávamos? Preparava-se o jantar que reuniria Olívia e Orsino. Este perguntou a Festinha se não seria possível espalhar um boato, desta vez a seu favor, atribuindo-lhe um título de nobreza. E se Festinha fizesse chegar aos ouvidos de Olívia que Orsino era um duque, de uma antiga linhagem italiana? Da veneranda Casa de Orsino? Festinha não achou uma boa idéia. Arroto mandaria investigar e era fácil averiguar se existia ou não um duque Orsino. E a última coisa que queriam era dar munição à família de Olívia, que não aprovava aquela aproximação. Maria e Arroto tentavam dissuadir Olívia de cumprir o que prometera a César. Orsino não era da sua classe, falava-se que tinha ligações com a Máfia. E, se não fosse da Máfia, o fato de ser italiano o tornava automaticamente suspeito, mesmo que não se soubesse exatamente de quê. Mas Olívia não os ouvia. Parecia aérea, estranhamente distraída, e o meio-sorriso que ostentava desde a visita do jovem César, embora pálido, era o primeiro que aparecia em seu rosto desde a morte do irmão. Maria protestava. A perspectiva de jantar com o lamentável Orsino não podia ser a causa daquele sorriso bobo no rosto da sobrinha. Arroto também estava indignado. Contou a Lorde Bochecha que Olívia aceitara se encontrar com Orsino e o inglês ficou alvoroçado. O quê? Quem? Orsino? Quem era o patife? O que estava querendo? Lorde Bochecha não tinha dúvidas de que Olívia correspondia à sua corte constante e que, se às vezes não aparecia para recebê-lo, ou resistia quando ele pegava a sua mão para beijar, era por um recato que a tornava ainda mais atraente. Ele só esperava o momento certo, quando acabasse o luto, para propor que ela lhe desse a honra de tornar-se Lady Cheek. Aquele Orsino, fosse quem fosse, não sabia com quem estava se metendo, com um ex-campeão que ainda mantinha alguns dos músculos que cultivara em Oxford, apesar de ter substituído o remo pelos desafios intelectuais do bridge. Quem não estranhava o novo ar extasiado de Olívia era Malvolio. Este sabia o motivo do meio sorriso. Olívia estava antegozando o que aconteceria entre eles na Décima Segunda Noite, quando senhora e servo seriam um só, suas carnes unidas, seus destinos e seus membros entrelaçados, suas paixões pulsando no mesmo ritmo louco. O meio sorriso de Olívia era de antecipação erótica. Malvolio confidenciara a Festinha que duas coisas poderiam acontecer depois da Décima Segunda Noite, da décima segunda badalada da Noite de Reis, que se aproximava. Se Olívia quisesse continuar sua vida de sempre, tendo apenas seu destino entrelaçado com o de Malvolio, os dois expulsariam Maria e Arroto e ficariam no apartamento do Champs de Mars, não mais como senhora e servo mas como amantes, ou como marido e mulher, desafiando todos os preconceitos. Se Olívia preferisse não enfrentar a reprovação social que fatalmente provocaria sua união com o mordomo, fugiriam. Mesmo que Olívia não levasse sua fortuna, ele, Malvolio, teria dinheiro para sustentá-los. Foi a primeira vez que Malvolio indicou ao Festinha que tinha sua própria fortuna guardada, reforçando a suspeita de Festinha de que o mordomo estivera mais envolvido nos negócios do seu patrão do que se pensava. Mas a informação mais intrigante que Festinha trouxe do Champs de Mars, que só não arrepiou minhas penas porque elas estavam duras de tinta, transmitiu só a mim, na minúscula cozinha do apartamento da Tanira, enquanto os outros dormiam. O ar ausente de Olívia, o misterioso meio sorriso que a visita de César deixara no seu rosto tinham uma explicação clara, e nada convenceria Festinha do contrário. Olívia se apaixonara por César!

6

Abusou, tirou partido de mim, abusou... Que música infernal. Não me sai da cabeça! Pensando bem, nada me sai da cabeça. Gravo tudo. Lembro de tudo. Repito tudo. Não precisava a informática provar que o tamanho do cérebro, do hardware, não tem importância. A natureza já provara isso. O homem de Neandertal tinha uma caixa craniana maior do que a de vocês mas era um burro, desapareceu por burrice. Nem conseguia falar. Um cérebro de papagaio pode conter tudo e articular tudo. Gosto de pensar no meu cérebro como o precursor do chip. Mas não sei se isso é um dom ou uma danação, "Você abusou" eu preferia esquecer. Podemos continuar? Então. Grande revelação. Olívia tinha se apaixonado pelo nosso César, c'est à dire nossa Violeta. O Festinha estava achando aquilo divertidíssimo. Olívia apaixonada pelo mensageiro! Orsino não pensara naquela possibilidade. Que era óbvia, pois todos, cedo ou tarde, se apaixonavam por César/Violeta. Mas eu, com meu pessimismo hereditário, pensava nas conseqüências. A confusão poderia prejudicar a carreira do César no Illyria e aumentar as agruras, les ennuis, da Violeta, como se não bastasse sua preocupação com o irmão metido com um bandido, ninguém sabia onde ou fazendo o quê. O jornal publicara a foto que a polícia tinha em seu fichário de um dos dois brasileiros desaparecidos no Charles de Gaulle, o Antônio, e Festinha se lembrara de onde o conhecia. Do apartamento do irmão da Olívia. Festinha se recordava de cruzar com ele entrando ou saindo furtivamente do apartamento, ou saindo de reuniões fechadas com o irmão da Olívia na sua biblioteca, uma vez carregando uma santa de madeira. Pronto, chegamos ao que vocês querem, à santa que era santo. Quem me contou toda a história foi o Ramão, no tempo em que vivi com ele e coabitei com a sua tristeza. Tem certeza que está gravando? Estamos nos anos 70. Há uma ditadura militar no Brasil. Um grupo de exilados brasileiros se reúne regularmente no apartamento da Negra, perto da Place d'Italie. É lá que, a intervalos, recepcionam exilados novos, chegados do Brasil, para saber notícias de casa e as novidades da política. Mas há a suspeita permanente de que o recém-chegado possa ser um espião mandado pela ditadura para se infiltrar entre os exilados. Quando chega um exilado novo, a Negra convida todos para o que chama de um ratatouille à brasileira, nome depois abreviado para ratateira e, com o tempo, para ratoeira. "Vai ter ratoeira" quer dizer que tem exilado político novo em Paris e que ele ou ela será submetido a uma espécie de interrogatório velado, enquanto saboreia o ratatouille da Negra. E uma vez parece que a ratoeira pega um rato. Um tal de Gideão que chega com uma história estranha. Participou da guerrilha, fugiu do Brasil pela Guiana, andou por Cabo Verde e pela Argélia e acabou em Paris, e nestas andanças ouviu falar que pedras preciosas brasileiras estavam sendo contrabandeadas para a França dentro de estatuetas de santos barrocos. Os santos de madeira vêm endereçados a um marchand e trazem as pedras preciosas escondidas no seu interior. Pelo que contaram ao tal de Gideão, fora combinado que metade de uma certa remessa de pedras, maior que o normal, seria entregue pelo marchand a um exilado brasileiro para ser usada na compra de armas para a guerrilha, em propaganda na Europa contra o regime militar do Brasil e no sustento dos exilados em Paris. Mas a entrega nunca fora feita, ou fora feita e quem recebera as pedras ficara com elas. Segundo Ramão, depois de contar sua história, entre garfadas de ratoeira e goles de vinho tinto barato, porque na época, como vocês devem saber, ninguém podia comprar outro, Gideão olhou em volta e perguntou se alguém ali sabia alguma coisa sobre aquilo. Todos se entreolharam. Sabiam que o marchand só poderia ser o irmão da Olívia. Era o único que negociava santos barrocos do Brasil em Paris, que eles soubessem. Bem que desconfiavam que ele não poderia viver só da venda de santos roubados de igrejas mineiras, que não eram tantos assim, mesmo incluindo os falsificados. Seu verdadeiro negócio era vender as pedras preciosas que vinham dentro dos santos. Mas quem era o exilado que receberia as pedras? Seria um dos presentes? Com sua história, verdadeira ou não, o tal de Gideão lançara várias dúvidas no meio dos exilados, que viviam entre a melancolia, como o Ramão, e a paranóia. Se a história fosse verdadeira, alguém ali ficara com as pedras que eram para todos. Havia um traidor, ou no mínimo um péssimo caráter, entre eles. Ou então o marchand é que devia explicações. O que fizera com as pedras? E se Gideão fosse mesmo um rato, um agente da ditadura investigando um esquema de ajuda aos exilados e atrás de informações? E se ele tivesse simplesmente inventado a história só para semear a confusão? Numa outra reunião no apartamento da Negra, um dia depois, sem ratoeira e sem Gideão, decidiram que a primeira coisa a fazer era um contato com o Brasil para saber se as pedras tinham mesmo sido mandadas. Na época, alguns exilados sabiam de telefones públicos com defeito nos quais se podia ligar para o Brasil sem pagar. Não revelavam a localização aos outros, para não haver filas nos telefones, mas aceitavam mandar e receber recados. Foi feito o contato. Veio a resposta: as pedras preciosas tinham, sim, sido mandadas. Para quem? Um certo Antônio, que viajava muito entre o Brasil e a França com passaportes falsos e se apresentara como amigo de vários exilados em Paris, inclusive com cartas de recomendação assinadas por muitos deles. Fora do Antônio a idéia de usar o irmão da Olívia, que importava os santos barrocos recheados de pedras preciosas e estava naquele momento no Brasil. O irmão da Olívia era apolítico, não tinha nenhuma ligação com os exilados, mas Antônio o convencera a colaborar. Ele já tinha um esquema montado com a aduana francesa. Seus santos passavam sem problemas. Estava preparando um São José para levar a Paris e Antônio sugerira que acrescentassem uma saia de madeira ao São José e o transformassem em Santa Maria. As pedras preciosas dentro do São José continuariam sendo do marchand, para vender, as pedras preciosas dentro do saião seriam para os exilados e a luta contra a ditadura. Só precisariam mudar o nome e a descrição do santo para não despertar suspeitas na saída do Brasil e na entrada na França. Antônio estaria em Paris para receber a saia da santa que era santo das mãos do irmão da Olívia e passar as pedras preciosas aos exilados. Nenhum dos exilados conhecia o Antônio, nenhum tinha escrito carta de apresentação e recomendação para quem quer que fosse. Tratava-se simplesmente de um golpe. Antônio falsificara as assinaturas nas cartas e ludibriara os... os... Mon Dieu. Desculpe. Um pouco de tontura. Já me restabeleço. É esta maldita tinta, que endurece e quase não me deixa respirar. A Tanira acrescenta camada sobre camada de verde e amarelo, já não consigo levantar as asas e minha circunferência aumenta, e não é só por causa das empadinhas. Onde é que eu estava? A santa que era santo, certo. Começou uma discussão entre os exilados, no apartamento da Negra. Deveriam ou não ir atrás das pedras preciosas, que afinal eram deles, compradas com sacrifício pelo pessoal que os apoiava no Brasil? Como ninguém sabia quem era aquele Antônio, o jeito de chegar às pedras era através do irmão da Olívia. Dois dos exilados foram destacados para procurar o marchand. Naquela época ele vivia entre o Brasil e a França e tinha um apartamento perto do Parc Monceau. Era moço. A Olívia eu acho que nem era nascida. Ele levava uma grande vida em Paris. Tinha um Mercedes-Benz conversível. Ele e o tio, o Arroto, jantavam nos melhores restaurantes. A família deles era dona de minas no Brasil, mas era improvável que ele e o tio, que tinha a metade do tamanho que tem agora mas já era imenso de gordo, vivessem como viviam com dinheiro de casa. Ou só da venda dos santos barrocos. A explicação eram as pedras preciosas. Mas, aos exilados que foram visitá-lo, ele negou que contrabandeasse pedras. Quem inventara aquela história? Trouxera, sim, um São José do Brasil havia pouco tempo, mas um São José de madeira sólida, sem lugar para pedras no seu interior. E muito menos com uma saia que transformava José em Maria. Conclusão dos exilados: ou o irmão da Olívia não queria mais ouvir falar no caso e preferia esconder sua participação na história, ou ele e Antônio eram cúmplices no golpe, ou o tal de Antônio dera o golpe em todo o mundo, ou havia mesmo um traidor que não se acusara entre eles. Quando quiseram convidar o Gideão para outra ratoeira no apartamento da Negra, para tentar esclarecer suas dúvidas, os exilados descobriram que ele tinha se mudado para a Dinamarca. A história ficou por aí. Durante algum tempo os exilados chegaram a planejar algum tipo de vingança contra o marchand. Ou contra o Antônio, se conseguissem encontrá-lo. Mas passaram-se os anos, veio a anistia, e os exilados começaram a voltar para o Brasil, inclusive o Ramão, que me vendeu junto com uma torradeira e um desentupidor de pia para a Xana. Não me lembro quanto ele pediu em francos da época, mas gosto de pensar que a maior parte do total da venda foi o meu preço. Até hoje não sei quanto vale, no mercado de curiosidades e aberrações, um papagaio que cita Shakespeare de memória, que se emociona com a curva de um pescoço de mulher, que... Está bem, está bem. Assez de bouderie, de volta à trama. Estou um pouco sem ar, mas vamos em frente. Morei com a Xana até o seu namorado francês, que, por sinal, também se chamava Jean-Paul, tentar me matar e então fui levado pela Negra para viver com a Tanira. Quando conheci pessoalmente a Negra, perguntei se ela se lembrava da história dos santos e das pedras que tanto agitara o mundo dos exilados, anos antes. Claro que se lembrava, mas não quis falar muito a respeito. Sabia que não tinham conseguido localizar o Antônio. Que o tal de Gideão desaparecera, como se a Dinamarca o tivesse engolido. E que o marchand continuara a enriquecer e trouxera sua irmã menor, Olívia, para estudar e viver com ele em Paris. Olívia crescera, se transformara numa bela mulher e naquela estonteante semana entre o Ano-Novo e a fatídica Décima Segunda Noite estava apaixonada por um belo rapaz que não era um rapaz, era uma bela mulher, que por sua vez estava apaixonada por um belo homem mais velho que era apaixonado pela bela Olívia, enfin, un véritable carrousel d'amour et de chagrin debaixo do meu bico. Olívia pediu que César voltasse ao seu apartamento para combinarem os detalhes do encontro dela com Orsino, mas queria mesmo era rever César, cujo rosto não lhe saía do pensamento. Aconteceu de César chegar ao edifício no exato momento em que Arroto, Festinha e Lorde Bochecha o deixavam. Festinha nos contou que Lorde Bochecha ficara possesso, perguntando o que aquele garoto de recado de mafioso fazia ali outra vez e tendo que ser contido para não dar meia-volta e ir pedir a César que levasse um recado ao seu capo, Orsino, desafiando-o para um duelo, onde e quando quisesse. O que ninguém sabia então era que Valentino, depois de ser despedido do Illyria, passara a seguir César, aguardando uma oportunidade para se vingar, e ficara atrás de um arbusto do Champs de Mars esperando enquanto no apartamento César transmitia a Olívia, fazendo o possível para não notar que ela desfizera o botão de cima da sua blusa preta, o entusiasmo do seu amigo apaixonado com a perspectiva do encontro. Orsino sugeria um jantar no seu apartamento no dia 6, Noite de Reis. Ela concordava? Olívia não respondeu. Segundo a Violeta, nem tinha ouvido a pergunta. Não ouvira nada do que César falara desde que entrara no apartamento. Estava embevecida. Escaneava o rosto de César com olhos ávidos, como se quisesse armazenar cada pequeno detalhe no seu cérebro. Violeta achava que Olívia teria tentado beijá-la, lo, se o mordomo de cabelo amarelo não entrasse subitamente na sala para perguntar se queriam tomar alguma coisa. Pouco depois chegara a tia, Maria, e sentara-se com eles. Maria recebeu a idéia do jantar na Noite de Reis com um "Hmf" de desprezo e em seguida disse "Eu vou junto". "Não vai não, titia", protestou Olívia, mas Maria encerrou o assunto com um "Vou, sim senhora". Quando Malvolio acompanhou César até a porta para sair, apesar da insistência de Olívia para que ficasse mais um pouco, o mordomo lhe sussurrou no ouvido um "Desapareça, senão..." e em seguida cutucou suas costas com dois dedos imitando uma pistola. César/Violeta não sabia, mas Valentino o/a seguiu do edifício da Olívia até o Illyria, onde Orsino o/a esperava, nervoso, para saber se Olívia concordara com o jantar no dia 6. Valentino provavelmente estava nos seguindo no metrô, indo e vindo do Illyria, todos os dias. No domingo nos seguiu, Tanira, eu e o canteiro, Hortência, Margarida, Rosa e Violeta, quando fizemos nosso passeio. Entramos numa casa de chá em Saint Germain para fugir do frio. A Violeta foi ao banheiro, se distraiu, entrou no das mulheres e na saída deu de cara com o Valentino sorridente, que perguntou: "Se enganou, querido?" Violeta ficou gaguejante, sem saber o que dizer. Valentino saiu saltitante. Na mesa, discutimos qual seria o efeito daquela descoberta. O que faria o Valentino para se vingar? Certamente contaria a Orsino que César era uma mulher disfarçada de homem. Que o estava enganando, que não podia ser o gerente do Illyria, que deveria ser posto, posta, na rua, "Ela e aquele maldito papagaio", contribuí eu, antecipando o que Valentino obviamente diria. Era domingo. Valentino provavelmente falaria com Orsino na segunda. Só havia uma coisa a fazer para evitar la catastrophe. O que qualquer um faria. Pedir a ajuda da Negra. Sabíamos que ela estava participando de um jogo de futebol entre travestis, Brasil x resto do mundo, num dos gramados dos Invalides. Era a treinadora do time brasileiro. Apesar do físico de zagueiro central, não podia jogar porque ela mesma não tinha certeza sobre o seu verdadeiro sexo. Levara Martine como massagista e estavam as duas na beira do gramado, encolhidas dentro dos seus casacões, enquanto os jogadores dos dois times corriam todos ao mesmo tempo atrás da bola, menos para alcançá-la do que para se aquecerem. O resto do mundo tinha muitos tailandeses e um reforçado centroavante nórdico que tirara a camiseta e jogava de calção e sutiã, o único que obviamente não sofria com o frio. O jogo estava empatado. Martine se surpreendeu ao ver César e perguntou quem era. Um gêmeo da sua querida Violeta? Explicamos a situação a Martine e contamos que Valentino descobrira que César era Violeta e contaria ao Orsino, pondo tudo a perder. A Negra, como sempre, foi prática. Perguntou se alguém sabia o endereço do Valentino. Ninguém sabia. Não seria difícil descobri-lo, mas não tínhamos tempo. No dia seguinte, segunda, Valentino fatalmente procuraria Orsino em casa ou no Illyria. O jeito era montar um esquema de vigilância para impedir que Valentino se aproximasse de Orsino, fosse na casa dele ou no salão. A Negra sabia quem chamar para o trabalho. Gritou "Janete!" e o goleiro do time brasileiro, um negro alto e forte, veio correndo, deixando o gol desguarnecido, sob protestos do resto do time. A Negra pediu para Janete reunir o que chamava de "a força", "la force", para ouvirem instruções, aquela noite mesmo. "La force" é um grupo de negros grandes que ela usa para entrar no palco carregando as estrelas, nas produções mais espetaculares do "Candombleu", e como eventuais seguranças em seus vários empreendimentos. Janete concordou e saiu atrás de um telefone para fazer seus contatos. Ouviu-se uma gritaria vinda do gramado. O centroavante nórdico tinha chutado de longe e feito um gol no Brasil. Estava soterrado sob uma pirâmide de tailandeses. A Negra entrou em campo e foi para o gol, ignorando os gritos de "Interdit, interdit!" dos adversários e recusando-se a tirar o casacão. Na beira do gramado, abraçada com César/Violeta, Martine contava que ficara emocionada com a possibilidade de César ser um irmão gêmeo de Violeta porque ela tivera filhos gêmeos, e... Está acabando a fita? Bien. Estou precisando parar um pouco mesmo. Não sei o que é. Pulmão, coração, não é próprio dos bichos entenderem o que têm por dentro. Sua própria anatomia e sua própria deterioração. Esta tinta pode estar me envenenando. Entupindo meus poros, que sais-je? Henri, Henri, toi aussi ne serai plus. Como foi que disse o bardo? The

7

O gordo Arroto e Lorde Bochecha almoçavam juntos uma vez por semana. Às vezes convidavam o Festinha, que na hora de pagar sempre fazia a mesma pantomima. Insistia em pegar a conta, brigava por ela, examinava-a e jogava-a de volta na mesa, dizendo "Vocês estão sendo roubados". Arroto ou o inglês pagavam o almoço, dependendo de quem estivesse tendo melhor sorte nos seus intermináveis jogos de bridge. Arroto gostava de ir aos restaurantes que freqüentava na época em que ele e o sobrinho, irmão da Olívia, levavam a grande vida em Paris. Todos os restaurantes escolhidos por Arroto estavam decadentes. Só conservavam, dos melhores dias, a decoração rebuscada e os preços absurdos. Mas Arroto insistia em voltar, nem que fosse só para poder dizer "Isto aqui não é mais o que era...", maldizer os turistas e perguntar sempre pelos mesmos garçons que já tinham morrido.

Decretara uma regra para os almoços semanais: podiam falar sobre qualquer assunto, menos sobre "Aquilo Lá", que era como ele chamava o Brasil. Festinha estava proibido de lhe dar qualquer notícia do Brasil ou de brasileiros que não fosse fofoca da embaixada. Arroto não queria nem saber daqueles dois brasileiros desaparecidos no aeroporto, que os jornais estavam destacando. Se dependesse dele todos os brasileiros desapareceriam assim que chegassem ao Charles de Gaulle. Salvo, claro, a sua sobrinha Olívia voltando de Ouro Preto, para onde ia uma vez por ano. Ele mesmo não ia ao Brasil desde que chegara a Paris, em 1947. Mas regras para a conversa à mesa eram desnecessárias. O assunto entre Arroto e Lorde Bochecha era sempre um só. Bridge. Festinha tentava desviar a conversa. Provocava Lorde Bochecha, perguntando o que fazia um lorde inglês morando em Paris em vez de estar no Parlamento, em Londres, ajudando a combater o insidioso socialismo. Tentava fazer com que Arroto se interessasse por outras coisas na vida que não fossem sua própria barriga e o bridge. Mas na maior parte do tempo desistia e ficava em silêncio, o que para Festinha é um martírio. Ele, sim, fala como um papagaio. Consolava-se aproveitando os eventuais convites para almoçar com os dois chatos para comer ostras, que adora acima de qualquer outra coisa no mundo fora a sua mãe. Seu gosto por ostras, diz Festinha, é tanto gastronômico quanto ideológico. Nem todo o mundo sabe que as ostras não são apenas hermafroditas, são dicogâmicas e protândricas. Tente dizer isso com um bico em curva como o meu. As ostras escolhem o seu sexo. Um ano podem produzir óvulos, no outro esperma. Quando hibernam, perdem ou neutralizam o seu gênero, e tanto podem voltar fêmeas como machos. "São como eu no inverno parisiense", diz o Festinha. "Nunca sei exatamente de que gênero aparecerei na primavera, se vou preferir empadinhas ou empadões." Comer ostras tem, para Festinha, além de todos os seus outros prazeres, essa conotação afetiva de comunhão com irmãs, ou irmãos. Mas naquele almoço da segunda-feira da semana que precedia a Noite de Reis, a fatídica Décima Segunda Noite, não foi o bridge que dominou a conversa na mesa. Lorde Bochecha estava indignado demais para falar em outra coisa que não fosse a corte que Orsino fazia a Olívia, e as medidas que pretendia tomar para colocar o que chamava de "esse italiano" no seu lugar. Insistiu para que Festinha lhe desse o endereço do Illyria. Iria procurar Orsino e... e... E o quê? Um duelo ao amanhecer no Bois de Boulogne estava fora de cogitação. Haveria complicações com a polícia, seria difícil arranjar espadas ou pistolas com tão pouca antecedência e, mesmo, era pouco provável que Orsino aparecesse no local marcado. Lorde Bochecha não sabia exatamente o que iria fazer com o italiano, mas sabia que faria. Não adiantou o aviso de Arroto de que Orsino tinha prováveis ligações com a Máfia e que confrontá-lo seria perigoso. Não adiantou Festinha, que sabia que Olívia estava apaixonada por César e não tinha nenhuma intenção de ceder ao cerco de Orsino e muito menos ao lambuzado assédio de Lorde Bochecha, pedir calma e sugerir que as coisas se resolveriam sozinhas. Lorde Bochecha pagou a conta e saltou da sua cadeira, anunciando que partia em direção ao Illyria, onde mostraria ao italiano do que era feito um inglês. Naquele mesmo dia os jornais traziam mais algumas informações sobre os dois brasileiros desaparecidos no Charles de Gaulle. Do jovem chamado Sebastião ainda se sabia pouco, mas a biografia de Antônio era conhecida. Ele morara em Paris durante algum tempo nos anos 70 e se envolvera na venda ilegal de pedras preciosas trazidas do Brasil, para onde viajava freqüentemente. Numa dessas idas ao Brasil, fora preso. Depois fora preso mais algumas vezes, por causas diferentes. Antônio, aparentemente, tem um caráter criminoso de grande versatilidade. Passara muitos anos sem poder sair do Brasil devido a seus problemas com a lei. Finalmente conseguira. Chegara ao Charles de Gaulle, fora interrogado, em honra dos velhos tempos, pela polícia francesa — que jurava tê-lo liberado — e puf, desaparecera. Não se sabia se o outro desaparecido, Sebastião, viajava com ele. Vocês acham que eu estou contando tudo isto que vocês já sabem para não chegar ao que vocês querem ouvir, ao saião da santa. Vocês acham que eu estou querendo ganhar tempo. Claro que preciso de tempo. Aceito tempo de onde ele vier, de qualquer fornecedor. Esta tinta está me matando, o verde e o amarelo me asfixiam, estou morrendo patrioticamente sem nunca ter visto o Brasil, quero mais tempo, mais vida, sim, nem que seja para mais amar a Violeta. Mas não é isso. O fato, mes amis, é que temos que pôr tudo num contexto. Precisamos, no mínimo, de ordem cronológica num mundo que cada vez mais desdenha a ordem. E precisamos de literatura. Vocês não vêem do que estamos tratando? Está bem, de dinheiro, de pedras preciosas, da triste servidão humana a valores materiais que para um papagaio não significam nada. Mas também estamos tratando de outra matéria, a matéria-prima da grande literatura, a matéria de que é feita a poesia e o romance, a ironia e a tragédia: o passado. Le passé. La vie perdue. A bruma do tempo. O que vocês tomam por digressão e enrolação na verdade é a minha tentativa de despertar em vocês o mesmo pensamento que inspirava

Proust quando sentia o cheiro de aspargos na sua própria urina. Longe de mim me comparar com o xixi do Proust, mas a minha intenção é a mesma, a de evocar toda uma época, todo um contexto, em termos literários, que são os únicos termos para a compreensão do passado e, pour cause, da vida. Vocês estão revirando o passado para vingar uma traição e à la recherche de pedras preciosas, mas estão perdendo o seu valor literário, não estão sentindo o cheiro do aspargo na... Está bem! De volta à ordem cronológica. Orsino estava obcecado pelo jantar que ofereceria a Olívia e já tinha mudado de planos várias vezes, aconselhando-se com Festinha. A idéia agora era fazer um jantar brasileiro. Afinal, Olívia era brasileira e Orsino adorava o Brasil. A Negra providenciaria tudo, da comida ao entretenimento. Tanira cozinharia, com a ajuda das suas três flores. Martine se ofereceu para servir o vatapá que aprendera a fazer na Bahia, na sua passagem pelo Brasil, mas ninguém confiou muito nela. Foi escalada para apenas assessorar Tanira e as flores na cozinha, onde talvez pudesse aproveitar seu talento para a depilação. Eu fui incluído no pacote, com ordens para ser só decorativo e não abrir o bico, ou fazer esparsos comentários jocosos, sem filosofar ou imitar ninguém. O próprio Festinha, que não queria perder nada, se escalou para tocar violão e cantar durante o jantar mas foi vetado por Orsino, que preferiu três músicos do "Candombleu" com a promessa de tocar baixinho. No seu apartamento, sonhando com César e totalmente alheia aos preparativos para o jantar, Olívia respondeu distraidamente à pergunta que Malvolio não se conteve e fez, já que a Décima Segunda Noite e o prometido ápice carnal entre os dois se aproximavam. O encontro na Noite de Reis estava confirmado? Está, disse Olívia, deixando o mordomo em estado de grande excitação, sem saber se enlaçava Olívia ali mesmo e lhe dava o primeiro dos muitos tórridos beijos que trocariam, ou não. Malvolio ainda perguntou se Olívia pretendia estar de preto na noite do encontro e ela disse que claro, o luto não acabara, aquele seria apenas um intervalo no seu período de contrição. E Malvolio se lembrou do que ela dissera na carta, que no fim daquela noite de loucura, na décima segunda badalada da meia-noite, seus gemidos de prazer voltariam a ser gemidos de dor. Olívia observou que seria preciso despistar sua tia Maria na noite do encontro, e pediu ao mordomo que a ajudasse nisso. Pode deixar comigo, disse Malvolio, quase desfalecendo com a antecipação do encontro, agora confirmado por Olívia, e tendo que se controlar para não dizer "o seu jovem leão está pronto!". Naquela noite, Olívia comentou com Festinha o diálogo que tivera sobre o jantar de Orsino com Malvolio, cujo comportamento ficava cada vez mais estranho. Outro assunto da noite foi outro desaparecimento, o de Lorde Bochecha. Arroto chegou com a notícia de que o inglês não aparecera para o jogo de bridge de todas as noites, não estava no seu apartamento e não fora visto em lugar algum depois que saíra do restaurante disposto a pedir satisfações a Orsino. Poderia ter acontecido o pior: o enfrentamento entre Lorde Bochecha e Orsino se dera e o inglês estava naquele momento no fundo do Sena, ou onde quer que a Máfia despejasse suas vítimas em Paris. Quando Festinha me contou isto no dia seguinte, lembrei que na tarde do dia anterior tinha havido uma altercação na frente do Illyria, onde Janete e "la force" da Negra, tentando ser tão inconspícuos quanto era possível para quatro armários daquele tamanho numa calçada, se mantinham em alerta contra a aproximação de Valentino. Que apareceu, alterado, gritando, insistindo que queria entrar para falar com Orsino, e foi posto pelos quatro armários dentro de um carro e levado embora. Só que, soube-se depois, não era o Valentino. Era Lorde Bochecha. Foi então que eu comecei a avisar que os acontecimentos estavam se precipitando, que a farsa poderia virar drama e os mal-entendidos virarem tragédia. Mas quem me ouvia? Os que me conheciam estavam acostumados com minha tagarelice e não me davam atenção, os que não me conheciam não entendiam nada, diziam "Qu'est-ce qu'il dit, le perroquet?" e riam, riam. Minha voz era a do caldeirão rachado de Flaubert, divertindo os ursos quando sua intenção era outra, era a de comandar o Universo. A Negra foi avisada do engano, em vez de Valentino “la force” levara um súdito de sua majestade da Inglaterra. Onde ele estava? Como não tinha onde botar o seqüestrado, “la force” havia subcontratado para esta parte do trabalho uma organização chinesa com know-how no assunto que o esconderia por um determinado tempo. Os chineses não estavam dispostos a desfazer o contrato antes do prazo e exigiram uma compensação para devolver o inglês. A Negra recusou. Fora um engano honesto, ela não tinha que pagar nada aos chineses. Lorde Bochecha continuou seqüestrado. Sua família, na Inglaterra, foi avisada, mas a irmã que atendeu o telefone, depois de ouvir perfeitamente o que foi dito no começo da conversa, ficou subitamente surda quando mencionaram o montante necessário para libertar Lorde Bochecha e passou a responder tudo com “What? What?” e a reclamar que a ligação estava péssima, antes de desligar. Enquanto isso, tudo se precipitava. Deslizávamos para a Décima Segunda Noite como passageiros no deque de um navio a pique. Nosso destino comum era o abismo. O fato de Lorde Bochecha ter sido seqüestrado por engano por "la force" significava que Valentino continuava solto, ameaçando revelar a Orsino que César era Violeta. Orsino só pensava na declaração de amor e no possível pedido de casamento que faria a Olívia, na Noite de Reis. Olívia só pensava em César. Que, como Violeta, só pensava em Orsino. E como se não bastasse tudo isso... acabou a fita.

8

"Vous avez un sens tragique de la vie, le perroquet", me diz o Festinha, para quem toda confusão é uma razão a mais para festejar os absurdos da existência. O que ele chama de a gloriosa desordem do mundo, cette bénite bagarre. Tem razão o Festinha, o senso trágico acompanha a nossa linhagem desde que o primeiro dos Henris foi adotado por aquele rei em agonia. É a danação de Chenonceaux, pelo menos na minha imaginação. Festinha diz que o que nos diferencia não é o fato de sermos de duas espécies distintas, já que ele só se transforma num bicho emplumado uma vez por ano, no Carnaval das Flores. É que tudo o que me angustia, desde o vaudeville de palpitações em que se transformaram nossas vidas em torno do Illyria até a explosão solar que um dia transformará a Terra numa ponta de cigarro, o diverte. Eu não entendia que, se o Sol vai explodir um dia, tudo é permitido? A maior piada de todas, sustenta o Festinha, é que nossas aflições, nossas tragédias, nosso ridículo e nossa história não passam de prólogo para a explosão, que fará com o sentido da vida o mesmo que o inverno parisiense faz com a sua libido. O cinzento final nos absolverá, diz Festinha. Igualará nossos gêneros e purgará todas as culpas, inclusive a dos filhos que abandonam sua mãe entre os selvagens. Sua religião é esta: tudo, no fim, é vaudeville. Um glorioso vaudeville. Se o Universo é um absurdo, mais razão para festinhas. Sem a festa, enlouqueceríamos. A frivolidade não é o oposto da seriedade, diz o Festinha, é o oposto da loucura. Que sais-je? Minha temporada com Jean-Paul 2, o escritor frustrado, só agravou meu pessimismo. Para Jean-Paul 2, tudo em Shakespeare era tragédia, principalmente as comédias, que levavam os desencontros e as identidades trocadas dos personagens a extremos de crueldade irredimidos pelo final feliz. Já Festinha diz que tudo em Shakespeare é comédia, até a sangrenta *Titus Andronicus*, que termina com todo mundo morto no palco e nas primeiras três filas da platéia, e que

Hamlet é a mais engraçada de todas, uma hilariante comédia de erros em que ninguém nunca sabe muito bem em quem está enfiando sua espada. Não concordo. *Hamlet* é sobre os perigos de remexer o passado, como vocês estão fazendo. Quando vocês chegaram me pedindo esta entrevista, obviamente querendo saber sobre os exilados em Paris nos anos 70 e o caso das pedras preciosas, sabem no que foi que eu pensei em seguida? No fantasma do pai do Hamlet surgindo da bruma do tempo. O fantasma que puxa Hamlet para o passado, para a reparação do passado, para a vingança, para o abismo. O que vocês estão fazendo não é reportagem. E não é pesquisa. Nenhum pesquisador sério usaria um gravador desse tamanhinho. Eu sei que vocês não estão fazendo um trabalho acadêmico sobre os exilados. Querem saber da traição, do saião que transformou José em Maria, das pedras preciosas e de quem ficou com elas. Será que eu sei? É o que veremos no fim da história, que certamente coincidirá com o meu fim. J'agonise, j'agonise. Como o Henri II martirizado pela sífilis em Chenonceaux, tenho uma visão clara da minha morte, envenenado pelas cores de uma pátria que nem é a minha. Se vocês querem me puxar para o passado, têm que agüentar a literatura. Já que querem me ouvir, têm que agüentar a comédia disfarçada de tragédia, a tragédia disfarçada de vaudeville e esta voz de caldeirão rachado. E a narrativa cronológica, com eventuais digressões, de um moribundo, finalmente com uma platéia atenta. Qu'est-ce qu'il dit, le perroquet? Diz que num daqueles dias que precederam a Décima Segunda Noite a imprensa parisiense publicou o relato de uma testemunha que tinha visto Sebastião e Antônio serem acossados na saída do aeroporto e colocados, à força, dentro de um carro. Por um grupo que certamente só esperava a volta de Antônio a Paris, depois de tantos anos, para saber o que ele tinha para contar sobre o saião cheio de pedras preciosas dirigido aos exilados mas que os exilados nunca tinham visto. Se os seqüestradores não eram vocês, quem eram? Quem mais sabia das pedras desaparecidas e queria mexer no passado? Vocês não têm idade para serem ex-exilados. Podem ser filhos de ex-exilados, querendo vingar a traição a seus pais. Ou no mínimo saber o que realmente aconteceu. Chegaremos lá. A notícia do seqüestro dos dois brasileiros desaparecidos na chegada ao Charles de Gaulle começou a esclarecer as coisas, pelo menos para este pequeno cérebro privilegiado. O Antônio era o mesmo do caso do santo que era santa que o Ramão me contara, do tempo dos exilados, quando Festinha se lembrava de tê-lo visto freqüentando o apartamento do irmão de Olívia, e carregando o santo travestido. Sebastião, o gêmeo que Violeta perdera no aeroporto, entrara na história por acaso. Ele e Antônio tinham saído juntos do aeroporto depois de liberados pela polícia, e os seqüestradores naturalmente pensaram que Sebastião estava viajando com Antônio, que os dois eram cúmplices. Ao ouvido da Violeta, ou do César, no metrô, no dia em que os jornais deram o seqüestro no aeroporto, e sem acreditar muito no que eu mesmo dizia, comentei que aquela era uma boa notícia. Fosse qual fosse a razão do seqüestro, logo ficaria evidente que Sebastião não tinha nada a ver com ela, e não demoraria em aparecer e se reencontrar com sua irmã. Era claro que ele também podia estar sendo torturado naquele exato momento, para contar o que não sabia, mas esta possibilidade eu omiti. Os preparativos para o jantar que Orsino ofereceria a Olívia ganhavam um ritmo frenético. O menu ficara pronto, depois de várias versões reprovadas por Orsino. Começaria com empadinhas e terminaria com quindins. A própria Olívia se envolveu no planejamento do jantar, ou pelo menos foi esse o pretexto que usou para convocar César ao seu apartamento várias vezes durante a semana. César era recebido rispidamente por Malvolio, que tentava descobrir o motivo daquelas visitas tão freqüentes. Enquanto isto, o próprio Malvolio arquitetava seu plano para tirar Maria do apartamento na Décima Segunda Noite, para que ele e Olívia pudessem entregar-se ao seu amour fou até que soasse a última badalada da meia-noite, sem precisar abafar os gemidos de prazer. Maria não podia estar no apartamento entre as nove e a meia-noite, mas Maria nunca saía do apartamento. Só deixava a casa para fazer compras com Olívia durante o dia. À noite, segundo Festinha, trancava-se no seu quarto com Deus e ninguém sabia o que os dois faziam lá dentro. Não dormia. As bruxas nunca dormem. A intervalos saía do quarto em giros de inspeção pelos grandes salões do apartamento, testando as janelas fechadas e a calefação. Malvolio tinha que, de alguma maneira, tirá-la de lá na noite tão esperada do ápice carnal com Olívia. Decidiu-se por uma manobra de grande risco. Declarou-se para Maria. Aproveitou um esbarrão aparentemente casual na cozinha para agarrá-la e beijá-la e, enquanto ela tentava soqueá-lo, dizer que a amava desde o primeiro momento em que a vira, que tentara reprimir aquele sentimento mas não podia mais, o sentimento era mais forte do que ele, do que a prudência, do que tudo. Tinha que possuí-la, mesmo que aquilo lhe custasse o emprego, mesmo que aquilo significasse sua ruína e a condenação de suas almas. Festinha nos repetiu o relato que Malvolio lhe fez da cena, obviamente acrescentando alguns retoques seus ao original.

Maria dizia "Enlouqueceu! Enlouqueceu!", e Malvolio insistia, apertando-a contra si, enquanto tentava evitar os golpes à sua cabeça. E Maria parara de resistir. Não retribuía ao abraço de Malvolio mas não o repelia mais. Malvolio sussurrou no seu ouvido que precisavam se encontrar. O quanto antes. Naquela Noite de Reis! Onde, perguntou Maria, com a voz alterada, quatrocentos anos de pietismo se derretendo no chão da cozinha, onde? Tenho um apartamento, disse Malvolio. Tenho tudo que é preciso, inclusive almofadões forrados com padrões persas, disse Malvolio, mas este detalhe deve ser contribuição do Festinha. Se encontrariam lá. Não posso, não posso, dissera Maria, mas pedira o endereço. Espero você às oito e meia, disse Malvolio. E lhe deu um último prolongado beijo antes de saírem da cozinha, Maria esbaforida, Maria incrédula, Maria... Como? Tudo isto tem, sim, a ver com a nossa história. Tudo isto é contexto, putain. Estamos deslizando para a Décima Segunda Noite, estamos a caminho do dénouement, que é o nome que os franceses dão para a resolução de qualquer intriga, seja na alcova ou na guilhotina. Às vezes é um nome gentil para o Apocalipse, segundo Festinha. Na Décima Segunda Noite, no apartamento de Orsino, a confusão que me angustia e maravilha o Festinha chega ao cúmulo, o carrossel pára, o vaudeville tem seu clímax. Trágico ou cômico, é o que veremos. Maria, a bruxa virgem, tivera uma epifania na cozinha. Descobrira que seu desdém por Malvolio, seu prazer na desgraça que puniria o mordomo pela sua ridícula pretensão de amar Olívia, na verdade era inveja, era ciúme travestido, era desejo que não se reconhecia. Agora ela entendia a estranha sensação que a invadira ao ver os cabelos amarelos, como os de um leão jovem, de Malvolio. Repugnância, sim, mas outra coisa, mais profunda, mais perturbadora, que ela agora entendia. Sim, ela queria aquele leão jovem. Deus a compreenderia. Ou Deus não precisaria saber. Sua alma e seus pensamentos castos continuariam dedicados a Deus, sua alma e sua devoção despistariam Deus enquanto seu corpo ia ao encontro de Malvolio. Deus jamais suspeitaria. Ainda mais um Deus mineiro, tão longe de

Paris. Festinha não sabia qual era o plano de Malvolio para manter Maria no seu apartamento enquanto ele e Olívia se amavam. Não duvidava que, depois de receber Maria, ele anunciasse que precisava correr até a farmácia para comprar preservativos, fechasse a porta por fora e a deixasse trancada lá dentro até depois da meia-noite. O amor, festeja Festinha, leva às calhordices mais sublimes. Segundo Festinha, só se conhece o verdadeiro caráter de uma pessoa pelo que a põe de joelhos, seja orar, se humilhar ou ir de boca na genitália de outra. O que ela faz pela salvação e pelo desejo. Na véspera do dia 6 de janeiro, na véspera do fim daqueles 12 dias de pernas para o ar, davam-se os toques finais no encontro de Orsino com sua obsessão, e isto significava uma demão a mais de tinta fresca nas minhas penas, mais uma camada no meu sarcófago verde e amarelo. Eu não podia reclamar, meu papel no vaudeville era esse. Tanira não sabia que cada uma das suas pinceladas encurtava minha vida. Querida Tanira, que cuidava de mim, me dava empadas e carinho, e me assassinava sem saber. Ninguém conseguia imaginar a Tanira estudando ciências políticas na Sorbonne, sua razão para estar em Paris antes de começar a fazer empadinhas. Foi Tanira que um dia declarou que nunca conseguia distinguir Voltaire, Molière, Verlaine e Versailles até Festinha dizer que era fácil, Versailles era o que tinha a pintinha no rosto. Tanira, Hortência, Rosa, Margarida e Martine haviam ido na véspera ao apartamento de Orsino, levar os mantimentos para o jantar e inspecionar a cozinha, e voltaram impressionadas. O apartamento era menor do que elas imaginavam, afinal Orsino tinha um império de "coiffures" em Paris e arredores, mas estava cheio de obras de arte e só a cozinha era maior do que o apartamento da Tanira. Martine se tornara ainda mais maternal com relação a Violeta depois que descobrira que Violeta também era César. Como se tivesse recuperado seus dois filhos gêmeos numa pessoa só, sua dedicação a Violeta redobrara. Martine era um sucesso na "Clinique Astrologique" da Negra, fazendo depilação "à brésilienne". Tinha seu próprio cubículo onde recebia moças que se preparavam para fugir do frio europeu para paraísos tropicais e não queriam pêlos pubianos sobrando nas bordas do biquíni, e cada vez que seu grito de "Saravá", quando arrancava a cera, ecoava pela clínica, junto com o grito da depilada, era recebido com vivas. A Negra supervisionava todos os detalhes do jantar. Só não oferecera os serviços de "la force" para fazer a segurança porque Janete e seus companheiros tinham caído em desgraça depois do vexame do seqüestro errado, quando levaram Lorde Bochecha em vez de Valentino, que continuava solto, ameaçando contar... Já sei, fim da fita.

9

Meu cheiro de aspargo no xixi... Já está gravando? Alors, meu cheiro de aspargo na urina do Proust, o que me evoca toda uma época, como o cheiro do aspargo na urina evocava a Proust, é a imagem do Ramão encolhido numa poltrona puída do seu apartamento sem calefação, entrouxado de roupa e ainda enrolado num cobertor, me falando de Pernambuco, me contando da sua família e da sua infância, enchendo o meu jovem cérebro de Cavalcantes e Albuquerques, verões no canavial e noites estreladas sobre o Capibaribe, e tiritando de frio. Se alguém fotografasse aquela cena, Ramão no seu casulo, encurvado sobre si mesmo na poltrona triste que outros exilados lhe tinham emprestado, se lamuriando num quarto cinzento para um papagaio cinzento, teria um retrato perfeito da época. Nem todos os exilados eram como o Ramão, claro. Não conheci os outros, mas Ramão me contava que muitos levavam vidas normais e até se divertiam, ele não sabia como, apesar da paranóia comum. Escreviam, produziam, davam aulas ou mesmo conspiravam, e planejavam sua volta ao Brasil. Mas minha lembrança daqueles dias é a lembrança do Ramão encolhido na sua poltrona, maldizendo o frio. É sempre inverno nesse passado para o qual vocês querem me arrastar. E as pedras preciosas não estão lá. Lá só tem fantasmas. Lá só tem o Ramão tiritando e se lamentando. Para encontrar o saião da santa que era santo e as pedras preciosas, temos que seguir a ordem cronológica desta história. Quer dizer, seguir a narrativa. Vocês são reféns deste narrador. Flaubert dizia que o escritor deve entrar na vida real como quem entra num oceano, mas só até o umbigo. Do umbigo para cima estão as partes que o autor deve preservar da vida e da promiscuidade com seus personagens, para não se afogar com eles. Um coração neutro e um cérebro enxuto. De todos nós, só eu consigo fazer isto, manter a objetividade e a razão quando todos à minha volta se perdem na maré, mesmo porque sou o único que não tem umbigo. Esta é a minha credencial de narrador. Mas do que serve isto, se ninguém me ouve? Sim, meu coração estava cheio de Violeta, meu cérebro lhe pertencia como um jardim privado. Mas o fato de aquela paixão de papagaio ser impossível garantia minha isenção autoral. Eu não entrava no oceano porque não podia, ficava, como Flaubert, na beirada, com a vida pela cintura. Esta é a salvação do narrador, e a sua danação. Se eu trocaria minha condição de observador privilegiado por um momento de amor humano com Violeta? Meu poleiro por um mergulho na vida? Bien sûr que sim. Mas... Está bem. Calma. Vamos à narrativa. Estamos no dia da Décima Segunda Noite. Finalmente, todos os caminhos se precipitam para um só ponto, como as 12 avenidas de Paris que convergem para o carrossel do Arco do Triunfo, e o caos. Vocês já notaram que o Illyria tem vitrines na frente até o chão. Quem passa pela calçada pode ver os cabeleireiros em ação lá dentro. As víboras se exibem o tempo todo, e eu confesso que também tento manter meu melhor lado virado para as vitrines. E de dentro do Illyria, claro, se pode ver todo o movimento na calçada. Naquela manhã, olhei através da vitrine e levei um susto. Na calçada estava o César, espiando para dentro do salão. Mas não podia ser o César. Ele tinha vindo comigo, de metrô, e estava naquele momento no escritório no fundo do salão, tratando de algum assunto administrativo. E a roupa deste outro César era diferente da que Violeta vestira naquela manhã. Não levei muito tempo para entender que aquele César era o irmão gêmeo do outro. Não, o que é que eu estou dizendo? Era o irmão gêmeo da Violeta, Sebastião. Levei mais tempo para decidir o que fazer, antes que os cabeleireiros também notassem a semelhança e fizessem um escândalo. Resolvi fazer o escândalo primeiro, um escândalo preventivo. Tentei sair voando e gritando por dentro do salão, mas o peso da tinta nas minhas asas não deixou. Eu não podia mais voar. Saí correndo e gritando por dentro do salão. A cena espantou o César da vitrine e atraiu o outro do fundo do salão. Tentei sussurrar para Violeta "o Sebastião, o Sebastião, lá fora", mas, como se sabe, o homem e o papagaio são os únicos animais que falam, mas só o homem cochicha. Ainda não temos o dom da confidência e do fuxico. Nem Violeta nem os cabeleireiros entendiam o que eu gritava. "Qu'est-ce qu'il dit, le perroquet?!" Finalmente Violeta me levou para o escritório, longe dos ouvidos das víboras, e eu pude me acalmar e contar o que vira através da vitrine. Foi a vez da Violeta sair correndo. Para a rua, para encontrar o irmão. Mas ele não estava mais lá. Não estava por perto. Desaparecera outra vez. O que fazer? Procurar a Negra, claro. Mas a Negra chegou antes que a chamássemos. Com novidades. Sebastião e Antônio tinham escapado dos seus seqüestradores. Sebastião contara a Antônio que viera do Brasil com o número de telefone da Negra. Antônio se lembrava da Negra dos seus anos em Paris. Os dois tinham telefonado para a "Clinique Astrologique" e a Negra dissera a Sebastião onde encontrar a irmã, e que iria para lá imediatamente. Encontraria com eles no Illyria. Não estava claro por que Sebastião não entrara no salão. Talvez os seqüestradores ainda os perseguissem. Talvez estivesse assustado. Não enxergara Violeta através da vitrine, só vira um papagaio maluco correndo de um lado para o outro. Podia ter concluído que colocaria sua irmã em perigo se a envolvesse naquela confusão em que se metera por acaso. E Antônio? No telefone, contara à Negra que voltara a Paris por motivos sentimentais. Nada a ver com o episódio da santa que era santo e das pedras preciosas, do tempo dos exilados. Mas pedira à Negra o endereço da Olívia. Queria lhe dar os pêsames pela morte do irmão, que fora seu amigo. A Negra telefonou para a "Clinique" e deu ordens para avisarem a Violeta se Sebastião aparecesse por lá. Ela estava a caminho do apartamento de Orsino, onde supervisionaria os últimos detalhes para o jantar daquela noite. Violeta não podia deixar o salão. Passamos o dia inteiro numa expectativa nervosa, esperando alguma comunicação da "Clinique", ou que Sebastião aparecesse de novo na vitrine do Illyria. Sebastião poderia ter se perdido em Paris. Ou, pior, poderia continuar na companhia de Antônio. Depois soubemos que acontecera o pior. O que segue é uma reconstituição dos fatos baseada no relato dos personagens, com algumas pitadas de ficção adicionadas pelo narrador, pois este é o direito dos narradores. Naquele princípio de noite, Antônio e Sebastião chegaram ao edifício do Champs de Mars no momento em que Malvolio saía para ir esperar Maria no seu apartamento. Se surpreenderam com a agressividade de Malvolio, que perguntou a Sebastião o que ele estava fazendo lá outra vez, e os proibiu de entrar no edifício. Olívia estava em casa, sim, mas não os receberia. Preparava-se para uma grande ocasião, ainda não escolhera o preto que usaria naquela noite especial. Malvolio afastou-se bruscamente, deixando Antônio e Sebastião parados na frente da porta, pela qual minutos depois saiu Maria, tão apressada que deixou a porta aberta sem notar. Antônio e Sebastião entraram no edifício e entraram no apartamento, pois na sua agitação Maria deixara esta porta aberta também. Vocês não estariam agitados e distraídos, a caminho de perder uma virgindade de 50 anos? Olívia estava no quarto, não havia mais ninguém no apartamento. Os dois caminhavam pé ante pé pelos salões, quando ouviram o som de uma campainha. Esconderam-se, correndo cada um para um lado, quando Olívia saiu do quarto de calcinha e sutiã, pretos, e foi atender o interfone na cozinha. Era o motorista de Orsino que viera buscá-la para o jantar. Ela disse que ainda demoraria uns dez minutos e na volta para o quarto deu com Sebastião, que tentava mudar de esconderijo. "César!", gritou Olívia. E em seguida sua surpresa se transformou em alegria. Ela o abraçou e beijou na boca, e o puxou para o quarto dizendo "Vem, vem", sem nem querer saber como ele entrara ali, sem duvidar que César invadira seu apartamento para possuí-la. Olívia fechou a porta do quarto. Antônio ficou vagando pelos salões, examinando tudo, procurando o que realmente o trouxera ao apartamento, até ser obrigado a se esconder de novo. Pois Malvolio tinha voltado. A previsão de Festinha estava certa: Malvolio dissera a Maria que precisava ir à farmácia comprar preservativos e a trancara no apartamento. Antônio viu Malvolio dirigir-se para o quarto de Olívia, bater na porta, com um sorriso de antecipação lúbrica nos lábios, e dizer "Olívia, sou eu". Aproximou-se de Malvolio por trás, limpou a garganta e disse "Ahn...". Malvolio rodopiou onde estava e quase desmaiou com o susto. Antônio continuou: "Acho que não fomos apresentados, o senhor é?" Malvolio recuperou o equilíbrio o bastante para dizer que era o mordomo, e Antônio disse "Aaah...", e contou que era um velho amigo do seu falecido patrão, por isso queria abraçar Olívia, que ainda não vira. Malvolio olhou em volta e perguntou onde estava o outro, César, o paulista. César? Paulista? "O moço que estava com você", disse Malvolio. Já tinha ido embora, explicou Antônio. Ele ficara porque precisava abraçar Olívia. Será que ela demoraria muito para aparecer? Malvolio bateu outra vez na porta do quarto, agora com mais força. Passaram-se alguns minutos antes que Olívia abrisse a porta e botasse a cabeça para fora. Ainda não estava pronta. Na verdade, ainda estava nua. Malvolio poderia ir avisar o motorista que viera buscá-la que ela ainda demoraria mais uma meia hora? Malvolio quase perdeu o equilíbrio outra vez. Motorista? Buscá-la? Para onde? Antônio convidou o mordomo para irem até a sala, segurando-o pelo braço. Indicou uma poltrona e perguntou se podia lhe servir alguma coisa, um copo d'água. Malvolio zonzo, vendo o sonho de uma noite de amour fou com Olívia se vaporizar diante dos seus olhos. Antônio propôs que os dois conversassem, enquanto esperavam por Olívia. Quanto tempo Malvolio trabalhara para Olívia e seu irmão? Sabia alguma coisa dos negócios do seu patrão? Não, não o negócio de santos barrocos. Os outros negócios. Os... Nisso batem na porta. E é quem? O Festinha. Que vinha trazer sua solidariedade ao pobre Malvolio, imaginando que a esta altura ele já soubesse que sua noite de amour fou com Olívia não aconteceria, que em vez dos seus braços Olívia iria para os braços de Orsino, ou pelo menos para os braços de uma das elegantes cadeiras da sua sala de jantar. Antônio e Festinha se reconheceram e recordaram sua escassa convivência nos anos 70. Bons tempos, péssimos tempos, concordaram. Festinha quis saber como tinha sido o seqüestro, que saíra em todos os jornais. Antônio respondeu que houvera um certo exagero, não fora um seqüestro, fora uma recepção. Um amigo mandara buscá-lo no aeroporto. E o moço que desaparecera junto com ele? Antônio começou a responder "Ele está..." quando a porta do quarto de Olívia se abriu e apareceu o Sebastião, com o cabelo em desalinho e a expressão de quem ganhou na loteria sem ter jogado, alguém bestificado por uma fortuna inexplicável. "César!", exclamou Festinha, enquanto Malvolio emitia um gemido e quase escorregava para o chão. Atrás de Sebastião apareceu Olívia fechando seu vestido preto atrás e abanando para todos na sala, antes de sair apressadamente pela porta da frente, voltar para perguntar "Malvolio, que fim levou a Maria?" e sair outra vez sem ouvir a resposta do mordomo, que foi outro gemido. Antônio quis saber para onde ia Olívia. Precisava abraçá-la. Festinha contou do jantar no apartamento de Orsino. Se eles quisessem, disse Festinha, já saboreando a confusão que se armava, poderiam ir todos para lá. Só precisariam passar antes pelo seu próprio apartamento para pegar o violão. Saíram todos. Festinha, Antônio e Sebastião a caminho da estação de metrô mais próxima, o resignado Malvolio a caminho da farmácia, para comprar preservativos e voltar ao seu apartamento, onde Maria olhava ansiosamente pela janela, esperando ver a juba amarela flanando em sua direção. Ao sair do edifício, Olívia encontrara Arroto, que, sem o seu parceiro habitual de bridge, o seqüestrado Lorde Bochecha, ficara sem o que fazer à noite e viera visitá-la. Olívia carregou Arroto para o jantar do Orsino. Antes disso, Tanira tinha passado pelo Illyria com as três flores para me pegar, também a caminho do jantar do Orsino. Onde... Não. Essa fita não vai acabar agora! Não no dénouement. Não ago

10

Orsino esperava jantar a sós com Olívia. Tinha decorado o texto em que revelaria sua vontade de gritar o nome da amada a montanhas reverberantes para que o próprio ar, repetindo "Olívia! Olívia!", a recebesse como ela merecia, mas onde encontrar montanhas em Paris? Além dos três músicos do "Candombleu" tocando discretamente num canto da sala de jantar e de um papagaio verde e amarelo empoleirado em outro canto, dando um tom ainda mais brasileiro à noite, e da equipe da Tanira entrando e saindo com os pratos, ninguém mais testemunharia a declaração com que Orsino tentaria convencer Olívia a ser sua. Eu já estava a postos no meu poleiro improvisado quando Olívia chegou com Arroto. Pude ver a decepção no rosto de Orsino, que em seguida recuperou a elegância e disse que claro, Arroto poderia jantar com eles, seria um prazer, comida é que não faltava. Orsino disse que gostariam de saber que o jantar seria todo com comida brasileira e Arroto, que uma vez ameaçara surrar o primeiro brasileiro em Paris que lhe dissesse que morria de saudade de feijoada, fez uma cara de nojo. Durante os drinques antes do jantar, caipirinha, que Arroto odiava, Orsino anunciou que não era homem de esconder seus sentimentos. Convidara Olívia para aquele jantar com a intenção de proclamar sua profunda admiração por ela, e aproveitaria a presença de Arroto, que com a morte do irmão de Olívia devia ser o seu parente mais próximo, para ir até mais longe e pedir sua mão em... Foi nesse momento que Martine veio da cozinha e avisou que havia três homens na portaria querendo entrar. Um dizia que seu nome era Fest e que trazia seu violão. Orsino hesitou, mas Olívia pediu que ele os deixasse subir. Festinha era sempre divertido. Quando os três entraram na sala, Olívia, Orsino e Arroto exclamaram "César!" em uníssono ao enxergarem Sebastião. E os vinte minutos que se seguiram não foram suficientes para esclarecer a confusão. Antônio se apresentou, disse que só estava ali para dar um abraço em Olívia pela morte do seu irmão, seu amigo, e apresentou seu novo amigo Sebastião. Como, Sebastião?, protestou Orsino. Este é o César. Olívia começou a perguntar “Era com você que eu...”, mas se deu conta do que iria dizer e parou antes de completar a frase, “... estava na minha cama, não faz meia hora?”. Arroto disse: “Se este não é o César, é o seu irmão gêmeo.” Sebastião disse que seu nome era mesmo Sebastião e que não tinha um irmão gêmeo. Tinha uma irmã gêmea, que se perdera dele no aeroporto. “Se você não tem um irmão gêmeo”, disse Olívia, “então anda alguém muito parecido com você por aí...”, e outra vez interrompeu a frase, antes de dizer “arrebatando corações”. “Deixa, eu ver se entendi...”, começou a dizer Orsino. Enquanto isto, da cozinha, Tanira telefonava para Violeta e perguntava: “Violeta, você está aqui, fantasiada de César?” “Claro que não”, respondeu Violeta. “Então venha”, disse Tanira, “porque o seu irmão está aqui”. No metrô, a caminho do apartamento de Orsino, Antônio contara a Festinha que o que tinha havido no aeroporto não era exatamente um seqüestro. Uma pessoa em Paris estava interessada em acertar algumas questões com Antônio, e mandara buscá-lo na sua chegada. Que questões? Digamos que essa pessoa quisesse fazer um agradecimento, e quisesse ser tranqüilizada. Anos antes, Antônio e essa pessoa tinham participado de um negócio envolvendo os exilados e o irmão da Olívia... "Eu sei, eu sei, e santos barrocos recheados de pedras preciosas", disse Festinha. "Isso", disse Antônio, depois de uma pequena hesitação. "Coisas do passado." A pessoa queria agradecer a Antônio por nunca ter revelado a participação dela no negócio, mesmo com todos os seus problemas com a lei e períodos na prisão, e queria saber o que Antônio esperava em troca do seu silêncio de tantos anos. Antônio não queria nada. Mas convencer a pessoa disso levara alguns dias, os dias em que Antônio e Sebastião tinham ficado desaparecidos, ou semi-seqüestrados. Finalmente a pessoa, tranqüilizada, os liberara, certa de que Antônio estava mesmo em Paris só por motivos sentimentais. Enquanto na sala continuava a tentativa de se esclarecer a confusão e definir quem era quem, com Sebastião obrigado a contar toda a biografia, dele e da irmã, incluindo o pai francês que os abandonara, sob o olhar perplexo dos três músicos do "Candombleu", Antônio me avistou na sala de jantar e veio na minha direção. Tinha uma cara interessante, o safado. Cada ruga daquele rosto daria um romance policial, não muito bom. Perguntou como era o meu nome. Respondi "Henri" e ele ficou dizendo "Henri, Henri". Depois disse uma coisa que na hora eu não entendi. "Acho que é esse..." Mais tarde ouvi ele contar ao Festinha que a tal pessoa que mandara buscá-lo no aeroporto tinha o estranho hábito de vir a Paris todos os anos, mas só nos meses de inverno. Hospedava-se no hotel Plaza Athénée e pedia para botarem a calefação do quarto no ponto mais alto, e raramente saía dali. Tinha dinheiro para fazer o que quisesse em Paris, mas preferia ficar no quarto superaquecido do Plaza Athénée, tratando dos seus negócios no Brasil pelo telefone. Me lembrei do que a Rosa nos contara sobre o seu pai. Quando tive a oportunidade, naquela mesma noite, perguntei à Rosa como era o primeiro nome dele. Era Ramão, claro. Na volta ao Brasil do exílio ele continuara na política mas mudara de lado, fizera fortuna ninguém sabia como, se elegera várias vezes com um furioso discurso antiesquerdista, morava em Brasília e nunca ia a Pernambuco. Na certa falara a Antônio a meu respeito, este seu parceiro na tristeza. E aí está. O que vocês, jovens, queriam saber. O motivo de estarem aqui, gravando meus estertores. Quem ficou com as pedras preciosas do saião da santa que era santo que o irmão da Olívia trouxe e entregou ao Antônio foi o meu velho conhecido, o lamuriento Ramão, que nunca mais na sua vida quis sentir frio e por isso virou traidor e conservador. Se vocês queriam pegá-lo em Paris, chegaram tarde, o inverno já terminou, ele deve estar de volta em Brasília. Isto é uma investigação sobre ele, sobre o passado dele, não é? Ministério Público? Polícia brasileira? Aposto que sim, com esse gravadorzinho. Embora nenhum de vocês tenha idade para ser promotor ou polícia. Não sei se vocês se interessam em ouvir o resto da história. Como ainda tem fita sobrando... A confusão não tinha acabado. A Violeta apareceu, e quem aproveitou para entrar junto com ela no edifício e subir com ela, espremidos, no elevador, foi o Valentino. Quando Tanira abriu a porta os dois entraram, Valentino na frente, e Violeta correu para abraçar o irmão. Valentino apontou para Sebastião e gritou: "Esse homem é um impostor. Não é um homem, é uma mulher!" Olívia deu uma gargalhada. Orsino perguntou "O que é isso?" E apontando para Violeta: "Quem é essa?" Sebastião: "Esta é Violeta, minha irmã gêmea." Arroto: "Se você não é o César, então onde está o César?" "Aqui", disse Violeta. Olívia deu um grito. Orsino olhava apalermado para Violeta. "Você é o César?!" Eu gritava "Posso explicar tudo! Posso explicar tudo!", mas ninguém me ouvia. "César não existe!", gritou Tanira. E Valentino agora apontava para Violeta e gritava histericamente: "Ela enganou todo mundo. Ela enganou todo mundo!", até a Martine sair correndo de dentro da cozinha e derrubá-lo com uma voadora, o que acalmou todo o mundo. "Vamos recapitular...", disse Orsino. Olívia aproximou-se de Sebastião e perguntou, num cochicho: “Era você, agora há pouco, na minha cama?” Sebastião fez que sim com a cabeça, e os dois deram-se as mãos. Orsino segurou Violeta pelos braços e disse: “Meu amigo, meu confidente... Você me enganou o tempo todo.” “Desculpe”, disse Violeta, com cara de choro, baixando os olhos, o que fez com que Martine se preparasse para derrubar Orsino também. Arroto propôs que fossem todos para um restaurante, tentar desvendar aquele novelo. Tanira protestou, disse que a cozinha estava cheia de comida, mas Arroto insistiu no restaurante. Queria tudo menos comida brasileira. Orsino continuava segurando Violeta pelos braços. Sua expressão mudara. De onde eu estava, podia ver a nova paixão de Orsino subindo para o seu rosto como um rubor. Ele nunca reconheceria isto, mas já estava meio apaixonado por César. Agora que César se revelara, além de um bom amigo, uma bela mulher, sua paixão seria completa. Olívia e Sebastião já estavam abraçados. Os músicos do “Candombleu” decidiram começar a tocar para acompanhar a cena mas os primeiros acordes de "Você abusou" foram abafados por uma vaia, liderada por mim. Recomeçaram com Chico Buarque, sob aplausos. No fim, só quem saiu perdendo naquela noite foi o Festinha. Quando o Valentino começou a se levantar, já apontando para a Violeta e acusando-a de ter roubado o seu lugar no Illyria, Martine o derrubou de novo, desta vez quebrando o violão do Festinha na sua cabeça. Depois todos saíram para ir comer num restaurante, liderados pelo Arroto, que conhecia um extremamente decadente na região, e ficamos no apartamento do Orsino, eu, a Tanira e suas flores, a Martine, o Valentino inconsciente e os três músicos do "Candombleu", que foram os que mais comeram. Esta noite de revelações e transformações teve um epílogo semanas depois, durante o Carnaval das Flores. Rosa, Hortência e Margarida organizam um carnaval brasileiro em Paris todos os anos, e este ano o Antônio colaborou no desfile, para comemorar sua volta a Paris depois de tanto tempo. Entrou com dinheiro, o que só confirmou nossa suspeita de que ele tirara sua parte das pedras preciosas do saião da santa antes de passá-lo ao Ramão. Com aquela cara, ninguém é inocente, nem que queira. O carro alegórico que Antônio financiou trazia a Negra numa fantasia masculina, majestosa, à qual ela a intervalos acrescentava uma grande saia rodada, cravejada de pedras, e mudava de pose, transformando-se instantaneamente em rainha. O que foi interpretado como uma homenagem à comunidade transformista de Paris, mas teve outro significado para os que sabiam da história da falsa santa. Os poucos para o qual aquele passado brumoso ainda queria dizer alguma coisa. Janete e "la force" participavam, como figurantes, da alegoria. Tinham voltado às boas graças da Negra, depois de darem um destino adequado a Valentino, que está recomeçando a vida como cabeleireiro no Marrocos. Festinha também participava do carro alegórico, fantasiado de uma ave não especificada, que na falta de outro nome chamou de "Chose Emplumê". Duvido que Ramão tenha deixado o seu quarto aquecido no Plaza Athénée para assistir ao desfile especial, convidado pela filha. Ainda fazia muito frio neste fevereiro, em Paris. Quanto a Maria e Malvolio, este se declarou tão entusiasmado com sua noite de amour fou com Maria, que obrigou Festinha a rever seus conceitos e declarar que vai incluir as bruxas no que chama de seu cardápio sexual para este ano. Mesmo porque está pressentindo que nesta primavera ressurgirá macho, com um apetite represado equivalente ao rigor do inverno que termina. É, a primavera está chegando aos poucos a Paris. Violeta está radiante. Agora Paris a merece. Ramão já deve ter voltado para o Brasil. Não nos encontramos. Comecei a pensar no que tinha acontecido com meus outros donos, além do Ramão. A Xana, eu sei, casou com um alemão e hoje dirige uma indústria em Dusseldorf. O Jean-Paul historiador não sei que fim levou. O Jean-Paul 2 deve ter se suicidado. Eu... O quê? Vocês são alunos do Jean-Paul 2? Ele ainda existe, e é professor? De quê? De literatura, claro. Como não conseguia escrever, ensina como se faz. Vocês vieram me entrevistar por indicação dele? Como ele sabia onde me encontrar? Então é isso! Eu deveria ter notado, vocês também não têm idade para serem fantasmas. Nada desta história interessava a vocês, nem a santa que era santo, nem as confusões e as palpitações do salão Illyria. Nada do passado. Vocês só queriam ouvir um exemplo de narrador distanciado, fosse do que fosse. O mais distanciado possível, de outra espécie. O JP2 deve encher a cabeça de vocês com Flaubert e técnicas alternativas de narrativa, nespá? O autor ausente, o autor disfarçado... Ele lhes falou no papagaio prolixo que simbolizava a pura glotologia, a palavra separada de qualquer realidade. Era a minha glotorragia que interessava a vocês, não as histórias. Era pesquisa escolar, daí esse gravador barato. Tudo bem. Pelo menos estão aqui estudando literatura em vez de culinária. Imagino que essas coisas do passado, ditaduras, exilados, traições, amores trocados, devem soar, para vocês, remotas como Shakes

11

O quê? Esta é a última fita? Mon Dieu, mon Dieu, me ajude a ser definitivo. Sinto que vou chegar ao meu fim antes da fita. J'agonise, j'agonise. O Festinha e a Martine se reconciliaram depois que ela lhe deu um violão novo para substituir o que tinha quebrado na cabeça do Valentino e os dois têm até feito duetos nas reuniões no apartamento da Tanira, Festinha no violão e Martine na gaitinha-de-boca. Sim, Martine na verdade se chamava Frédéric e era o ex-jogador de rúgbi que seduzira a mãe de Sebastião e Violeta no Brasil e desaparecera depois do nascimento dos gêmeos. A cena do reconhecimento entre os três foi emocionante, e Martine nos contou suas aventuras no Brasil, a passagem pela Bahia, a volta para a França e sua decisão de se vestir de mulher para ser obrigada a se autodepilar e assim exorcizar sua culpa por abandonar os filhos. Se tornara uma especialista em depilação e descobrira a nova profissão que a levara a reencontrar Sebastião e Violeta. Martine estava ao lado de Violeta com um belo vestido cor-de-rosa, como pai e mãe, quando ela e Orsino se casaram, ou coisa parecida, no Illyria, onde Violeta fez questão que eu fosse incluído na decoração primaveril do altar improvisado. Todos os cabeleireiros choraram durante a cerimônia conduzida pela Negra e confesso que eu também. Deixei correr três lágrimas, uma pela felicidade da radiante Violeta, outra pelo meu próprio destino, de peça de decoração ausente da vida, e a terceira pela sina de todos os narradores do mundo. De Flaubert e de Shakespeare, separados de suas criaturas pela busca obsessiva da palavra justa, obrigados a trocar a paixão vivida pela paixão descrita, e de Henri, le pauvre Henri, separado do seu amor pela biologia. "Flaubert c'est moi, mas ele não se suicidou", poderia dizer uma Madame Bovary ressentida. As criaturas se vingam dos seus criadores tendo vidas mais completas do que as deles, mesmo que trágicas. Violeta, eu espero, saberá reconhecer a vida que eu lhe dei com minha logorragia amorosa nesta história de enganos. Shakespeare deu às suas heroínas poesia e uma longa posteridade, o que mais uma mulher pode querer? Violeta e Orsino estão na Itália, onde ele tenta comprar um título de duque para coroar sua felicidade. Sebastião e Olívia estão morando juntos no grande apartamento do Champs de Mars, e Malvolio e Maria também. Festinha estava com a razão, Malvolio sabia mais sobre a vida do irmão da Olívia e tinha mais controle sobre a sua herança do que se pensava, por isso Olívia nunca o dispensara. Ele ajudara o patrão financeiramente no fim da vida, inclusive com o que roubara dele o tempo todo. Antônio não encontrara o que procurava no apartamento de Olívia, o que viera buscar em Paris por razões sentimentais, a santa que era santo que o irmão de Olívia nunca vendera depois de retiradas as pedras. Não a encontrara porque a santa que era santo estava no apartamento do Malvolio, que a roubara. Maria contou a Malvolio que fora do Arroto a idéia da carta falsa da Olívia, e Malvolio cortou sua mesada. Arroto teve que voltar para o Brasil. Dizem que está morando no interior de Minas, tentando aprender a gostar de feijão-tropeiro, seja isso o que for. E finalmente tivemos notícia de Lorde Bochecha, que foi vendido pelos chineses para a máfia córsica, que não o agüentou e o devolveu aos chineses e deve estar neste momento no interior, digamos, de Papua, onde se formou uma seita em torno das suas dissertações sobre o bridge, que os nativos tomam como encantações esotéricas. Eu estou no fim. Literalmente. Continuo decorando o salão Illyria, onde Malvolio vai regularmente renovar a tintura do cabelo, o que significa que continuei a ser pintado de verde e amarelo e já não consigo mais respirar. Vocês podem estar gravando meus últimos suspiros. Não sei o que vão fazer com meu corpo. Espero que o empalhem. Finalmente vou saber o que tenho por dentro. Não vísceras, não uma alma, mas palha. A anatomia isenta de compreensão, como a vida e a paixão dispensadas de explicação. Façam bom proveito da entrevista e digam para o Jean-Paul que minha literatura não conseguiu nem comover os ursos, o que dirá fazer dançar as estrelas. E que ele não me julgue pelo que está gravado. Trata-se de uma história contada por um papagaio... mon Dieu, acho que é mesmo meu último suspiro! — cheia de barulho inconseqüente e frivolidade, significando

EDITORA OBJETIVA LTDA. Rua Cosme Velho, 103
Rio de Janeiro – RJ – CEP: 22241-090
Tel.: (21) 2199-7824 – Fax: (21) 2199-7825
www.objetiva.com.br

Coordenação editorial
Isa Pessôa

Produção editorial
Maryanne Linz

Capa e projeto gráfico
Luiz Stein Design (LSD)

Designers assistentes
Darlan Carmo
Felipe Braga

Revisão
Taís Monteiro
Sônia Peçanha
Ana Kronemberger
Neusa Peçanha

Editoração
FA Editoração Eletrônica

CIP-BRASIL. CATALOGAÇÃO-NA-FONTE
SINDICATO NACIONAL DOS EDITORES DE LIVROS, RJ.

V619d
Verissimo, Luís Fernando
A décima segunda noite / Luís Fernando Verissimo. – Rio de Janeiro : Objetiva, 2006

149 p. : il. – (Devorando Shakespeare)

Romance inspirado na obra “Noite de Reis” de William Shakespeare ISBN 85-7302-813-0

1. Romance brasileiro. I. Título. II. Série.

06-3589. CDD 869.93
CDU 821.134.3(81)-3

Conheça mais sobre nossos livros e autores no site
www.objetiva.com.br

Disque-Objetiva: (21) 2233-1388

Impressão e Acabamento:
Geográfica editora